MW00636682

SELF-CARE
BUCKET JOURNAL

Learn to Put Yourself First by Building
New Healthy Habits This Year

ISBN: 978-1-63933-077-5
Printer: My Bucket Journals, LLC
PO Box 310, Hutto, Texas 78634

Disclaimer
The information in this book is based on the author's opinion, knowledge and experience. The publisher and the author will not be held liable for the use or misuse of the information contained herein.

Disclosure
This book may contain affiliate links. If you click through an affiliate link to a third-party website and make a purchase, the author may receive a small commission.

This book belongs to

____

If found please call

____

How to Use Your Self-Care Bucket Journal

If focusing on yourself is a bucket list item this year, then The Self-Care Bucket Journal is for you! Be purposeful about yourself as you discover, plan, and journal ways you can improve caring for your needs and recharging your batteries.

Self-care can take many forms. It can be as simple as taking a hot bath or lighting some scented candles, or as elaborate as taking a much-needed vacation. We encourage you to make your year a mix of both as you find activities that will help you focus on your needs.

First – Evaluate your current mental health state. Be intentional and honest about the weaknesses in your daily self-care routine. Create a list of goals that you want to achieve and come up with a mission statement for your year.

Next – Use the blue monthly pages to set small goals in changing your self-care. The purple pages are for each of the four weeks in the month. You can track your weekly goals, daily exercise, mood, energy, and sleep levels. Use the gratitude and acts of kindness pages to journal the positive vibes you have in your life. At the end of the month review how well you accomplished your goals and look for any areas of improvement.

Repeat – the cycle every other month and reassess your mental health and needs.

At the end of the quarter – journal about any books, podcasts, and Ted Talks that have kept you motivated. Record the self-care playlists and favorite songs that help you feel your emotions. Use the bad habits to break page to focus on the things you want to improve and then use the positive self-talk page to talk better to yourself. Note: Make sure you practice your positive self-talk out loud and in front of a mirror to make the biggest impact.

At the end of one year – reflect on the progress you've made and the new skills you've earned by putting yourself first and caring for your needs.

Use this page at the beginning of every month. What important self-care tasks will you schedule?

Then, each week day journal your habits and main priorities.

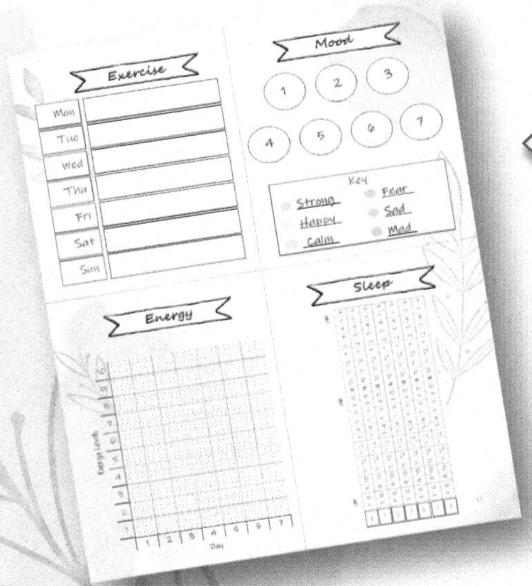

Plus, rate your exercise, mood, energy level and sleep patterns.

At month end, take time to review and see how far you've come.

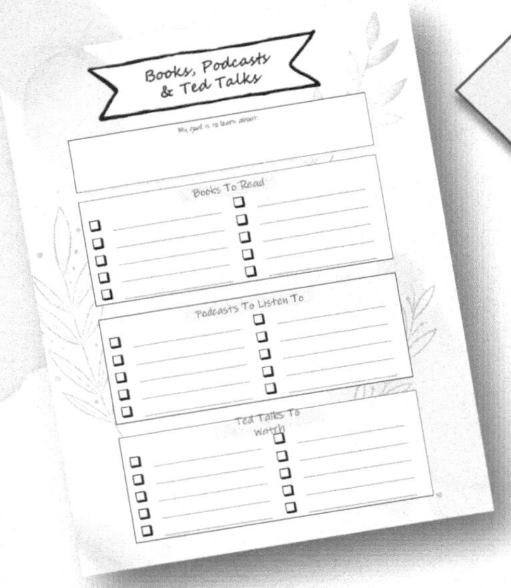

Quarterly use books, podcasts and Ted Talks to keep yourself motivated and looking in the right direction

Create the perfect self-care music mix.

What bad habits are you working on this quarter?

What words can you use to talk better to yourself?

Table of Contents

- ❑ How to Use Your Self-car Bucket Journal 2 to 4
- ❑ My Mission Statement........ 6 / 17
- ❑ My Big Goals........ 7 / 177
- ❑ Self-Care Wheel........ 8
- ❑ Self-Care Ideas........ 9
- ❑ Feelings Wheel........ 10
- ❑ Other Feelings........ 11
- ❑ My Morning Routine........ 12 / 178 / 180
- ❑ My Evening Routine........ 13
- ❑ My Mental Health........ 14
- ❑ The Month Ahead – First/ Fourth/ Seventh/ Tenth........ 15 / 55 / 95 / 135
  - ❑ Week One........ 16 / 56 / 96 / 136
  - ❑ Week Two........ 18 / 58 / 98 / 138
  - ❑ Week Three........ 20 / 60 / 100 / 140
  - ❑ Week Four........ 22 / 62 / 102 / 142
- ❑ Gratitude & Acts of Kindness........ 24 / 64 / 104 / 144
- ❑ My Month in Review – First/ Fourth/ Seventh/ Tenth........ 25 / 65 / 105 / 145
- ❑ Words to Live By........ 26 / 66 / 106 / 146
- ❑ The Month Ahead – Second/ Fifth/ Eighth/ Eleventh........ 27 / 67 / 107 / 147
  - ❑ Week One........ 28 / 68 / 108 / 148
  - ❑ Week Two........ 30 / 70 / 110 / 150
  - ❑ Week Three........ 32 / 72 / 112 / 152
  - ❑ Week Four........ 34 / 74 / 114 / 154
- ❑ Gratitude & Acts of Kindness........ 36 / 76 / 116 / 156
- ❑ My Month in Review – Second/ Fifth/ Eighth/ Eleventh........ 37 / 77 / 117/ 157
- ❑ My Mental Health........ 38 / 78 / 118 / 158
- ❑ The Month Ahead – Third/ Sixth/ Ninth/ Twelfth........ 39 / 79 / 119/ 159
  - ❑ Week One........ 40 / 80 / 120 / 160
  - ❑ Week Two........ 42 / 82 / 122 / 162
  - ❑ Week Three........ 44 / 84 / 124 / 164
  - ❑ Week Four........ 46 / 86 / 126 / 166
- ❑ Gratitude & Acts of Kindness........ 48/ 88/ 128/ 168
- ❑ My Month in Review – Third/ Sixth/ Ninth/ Twelfth........ 49/ 89/ 129/ 169
- ❑ Books, Podcasts & Ted Talks........ 50/ 90/ 130/ 170
- ❑ My Self-Care Playlist........ 51/ 91/ 131/ 171
- ❑ Bad Habits to Break........ 52/ 92/ 132/ 172
- ❑ Positive Self-Talk........ 53/ 93/ 133/ 173
- ❑ Words to Live By........ 54 / 94 / 134 / 174
- ❑ My Year in Review........ 175

My Mission Statement

I will do all I can to live by this statement because:

My Big Goals

When I achieve these goals, I will feel:

Life Goals

- ○ ______
- ○ ______
- ○ ______
- ○ ______
- ○ ______
- ○ ______
- ○ ______

Health Goals

- ○ ______
- ○ ______
- ○ ______
- ○ ______
- ○ ______

Work Goals

- ○ ______
- ○ ______
- ○ ______
- ○ ______
- ○ ______

Finance Goals

- ○ ______
- ○ ______
- ○ ______
- ○ ______
- ○ ______
- ○ ______
- ○ ______

Other Goals

- ○ ______
- ○ ______

Self-Care Wheel

These are general suggestions for ways to incorporate self-care into your day-to-day life. As you can see, there are six areas of your life that deserve care. While it is not necessary to focus on every single aspect, choose the ones that will benefit you the most.

Self-Care Ideas

- [ ]
- [ ]
- [ ]
- [ ]
- [ ]
- [ ]
- [ ]
- [ ]
- [ ]
- [ ]
- [ ]
- [ ]
- [ ]
- [ ]
- [ ]
- [ ]
- [ ]
- [ ]
- [ ]
- [ ]
- [ ]
- [ ]
- [ ]
- [ ]
- [ ]
- [ ]
- [ ]
- [ ]
- [ ]
- [ ]
- [ ]
- [ ]
- [ ]
- [ ]
- [ ]
- [ ]
- [ ]
- [ ]
- [ ]
- [ ]
- [ ]
- [ ]
- [ ]
- [ ]

Feelings Wheel

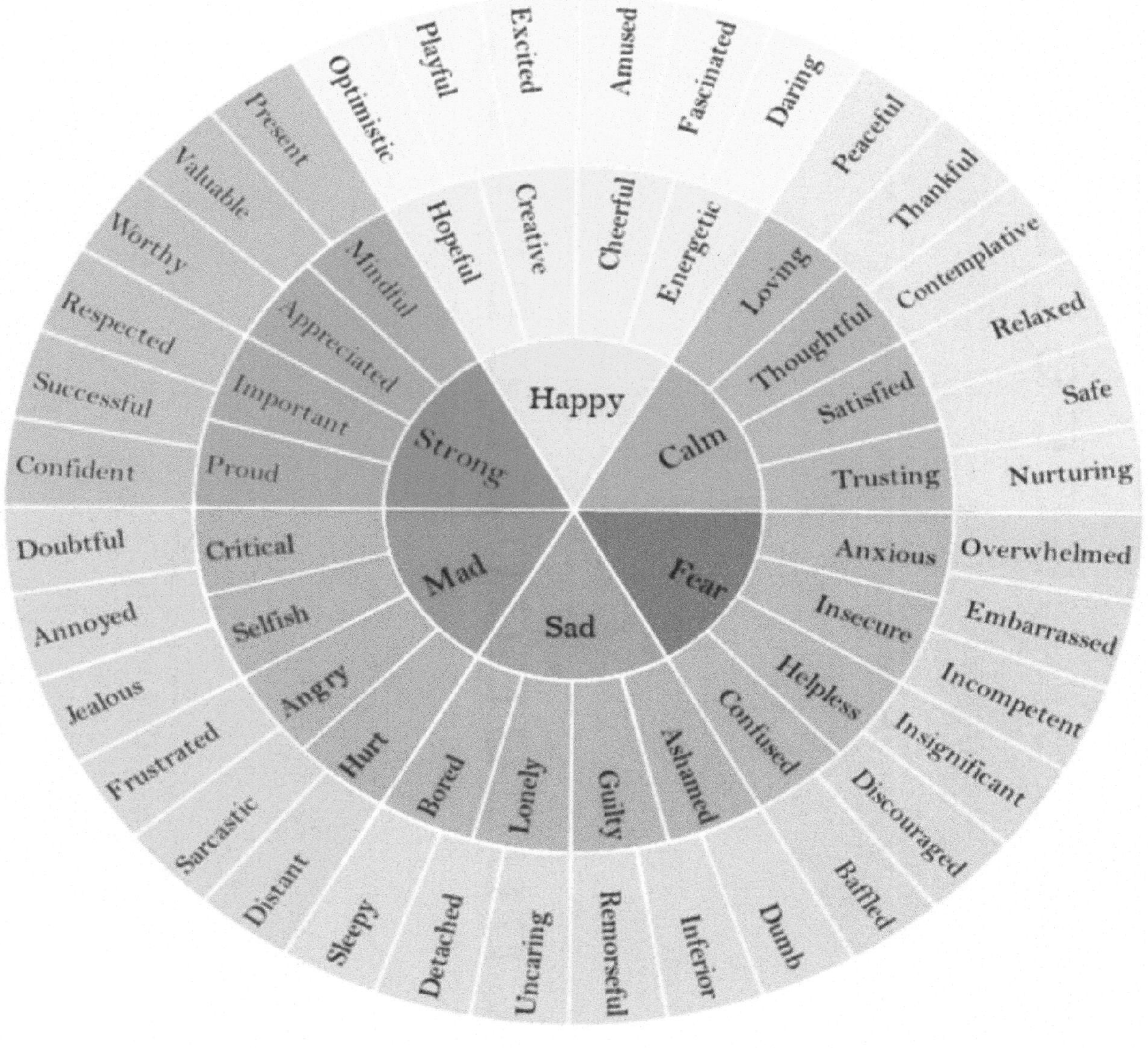

If you've seen "Inside Out" from Disney, you know that most emotions come from a core feeling. Learn to identify your core feelings to find balance in your life. Once you identify your core emotion you are better equipped to change negatives into positives. Example: You're feeling incompetent at work, but you can trace that back to feeling insecure about the new program that was instituted, which leads to the core feeling of fear of being replaced. Now how can you change that fear into a strength?

Other Feelings

My Morning Routine

Creating the perfect morning routine will:

My Evening Routine

Creating the perfect evening routine will:

My Mental Health

I will make an effort to look after my mental health because:

Things I know upset me

- ○ ______________________________
- ○ ______________________________
- ○ ______________________________

Do these on a bad day

- ○ ____________________
- ○ ____________________
- ○ ____________________
- ○ ____________________
- ○ ____________________
- ○ ____________________
- ○ ____________________

Do these to keep calm

- ○ ____________________
- ○ ____________________
- ○ ____________________
- ○ ____________________
- ○ ____________________

These make me happy

- ○ ____________________
- ○ ____________________
- ○ ____________________
- ○ ____________________
- ○ ____________________

People to reach out to

- ○ ____________________
- ○ ____________________
- ○ ____________________
- ○ ____________________
- ○ ____________________
- ○ ____________________
- ○ ____________________

The Month Ahead

This Month:
My focus this month is:

Important Tasks

- ❑
- ❑
- ❑
- ❑
- ❑
- ❑
- ❑
- ❑

Key Dates

- ○
- ○
- ○
- ○
- ○

Must Remember

Week One

This week: ____________________

My Main Priorities

- ○ ____________________
- ○ ____________________
- ○ ____________________

My To-Do List

- [ ] ____________________
- [ ] ____________________
- [ ] ____________________
- [ ] ____________________
- [ ] ____________________
- [ ] ____________________
- [ ] ____________________
- [ ] ____________________
- [ ] ____________________

Habit Tracker

	M	T	W	T	F	S	S

Exercise

Mon	
Tue	
Wed	
Thu	
Fri	
Sat	
Sun	

Mood

1 2 3

4 5 6 7

Key

- Strong
- Happy
- Calm
- Fear
- Sad
- Mad

Energy

Energy Levels							
10							
9							
8							
7							
6							
5							
4							
3							
2							
1							
Day	1	2	3	4	5	6	7

Sleep

	Mon	Tue	Wed	Thu	Fri	Sat	Sun
pm	6	6	6	6	6	6	6
	5	5	5	5	5	5	5
	4	4	4	4	4	4	4
	3	3	3	3	3	3	3
	2	2	2	2	2	2	2
	1	1	1	1	1	1	1
	12	12	12	12	12	12	12
	11	11	11	11	11	11	11
	10	10	10	10	10	10	10
	9	9	9	9	9	9	9
	8	8	8	8	8	8	8
am	7	7	7	7	7	7	7
	6	6	6	6	6	6	6
	5	5	5	5	5	5	5
	4	4	4	4	4	4	4
	3	3	3	3	3	3	3
	2	2	2	2	2	2	2
	1	1	1	1	1	1	1
	12	12	12	12	12	12	12
	11	11	11	11	11	11	11
	10	10	10	10	10	10	10
	9	9	9	9	9	9	9
	8	8	8	8	8	8	8
pm	7	7	7	7	7	7	7

Week Two

This week: ____________________

My Main Priorities

- ○ ____________________
- ○ ____________________
- ○ ____________________

My To-Do List

- ☐ ____________________
- ☐ ____________________
- ☐ ____________________
- ☐ ____________________
- ☐ ____________________
- ☐ ____________________
- ☐ ____________________
- ☐ ____________________
- ☐ ____________________

Habit Tracker

	M	T	W	T	F	S	S

Exercise

Mon	
Tue	
Wed	
Thu	
Fri	
Sat	
Sun	

Mood

1 2 3

4 5 6 7

Key

- Strong
- Fear
- Happy
- Sad
- Calm
- Mad

Energy

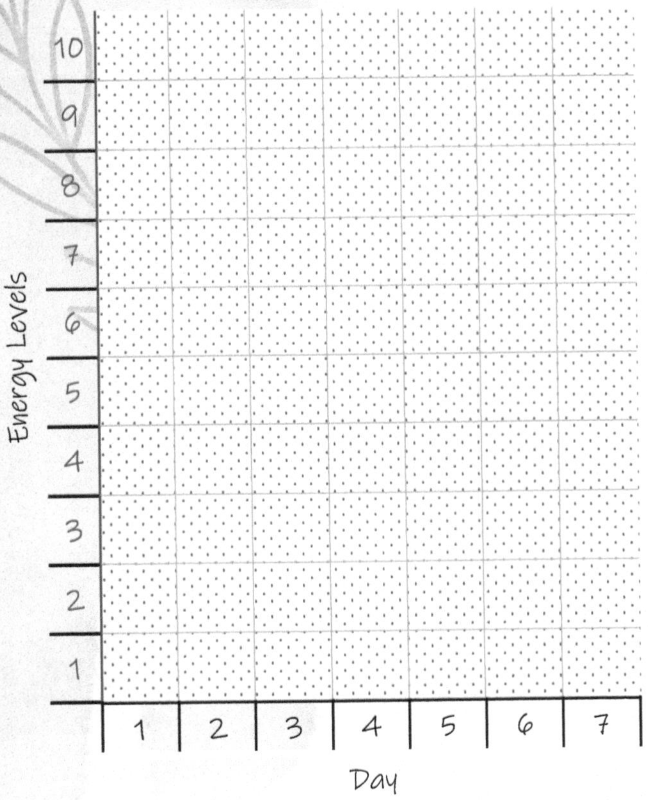

Sleep

Week Three

This week: ______________________

My Main Priorities

- ○ ______________________
- ○ ______________________
- ○ ______________________

My To-Do List

- ☐ ______________________
- ☐ ______________________
- ☐ ______________________
- ☐ ______________________
- ☐ ______________________
- ☐ ______________________
- ☐ ______________________
- ☐ ______________________
- ☐ ______________________

Habit Tracker

	M	T	W	T	F	S	S

Exercise

Mon	
Tue	
Wed	
Thu	
Fri	
Sat	
Sun	

Mood

1 2 3

4 5 6 7

Key

- Strong
- Happy
- Calm
- Fear
- Sad
- Mad

Energy

Energy Levels: 10, 9, 8, 7, 6, 5, 4, 3, 2, 1

Day: 1, 2, 3, 4, 5, 6, 7

Sleep

	Mon	Tue	Wed	Thu	Fri	Sat	Sun
pm	6	6	6	6	6	6	6
	5	5	5	5	5	5	5
	4	4	4	4	4	4	4
	3	3	3	3	3	3	3
	2	2	2	2	2	2	2
	1	1	1	1	1	1	1
	12	12	12	12	12	12	12
	11	11	11	11	11	11	11
	10	10	10	10	10	10	10
	9	9	9	9	9	9	9
	8	8	8	8	8	8	8
am	7	7	7	7	7	7	7
	6	6	6	6	6	6	6
	5	5	5	5	5	5	5
	4	4	4	4	4	4	4
	3	3	3	3	3	3	3
	2	2	2	2	2	2	2
	1	1	1	1	1	1	1
	12	12	12	12	12	12	12
	11	11	11	11	11	11	11
	10	10	10	10	10	10	10
	9	9	9	9	9	9	9
	8	8	8	8	8	8	8
pm	7	7	7	7	7	7	7

Week Four

This week: ____________________

My Main Priorities

- ○ ____________________
- ○ ____________________
- ○ ____________________

My To-Do List

- [ ] ____________________
- [ ] ____________________
- [ ] ____________________
- [ ] ____________________
- [ ] ____________________
- [ ] ____________________
- [ ] ____________________
- [ ] ____________________
- [ ] ____________________

Habit Tracker

	M	T	W	T	F	S	S

Exercise

Mon	
Tue	
Wed	
Thu	
Fri	
Sat	
Sun	

Mood

1 2 3

4 5 6 7

Key

Strong	Fear
Happy	Sad
Calm	Mad

Energy

Energy Levels

	1	2	3	4	5	6	7
10							
9							
8							
7							
6							
5							
4							
3							
2							
1							

Day

Sleep

	Mon	Tue	Wed	Thu	Fri	Sat	Sun
pm	6	6	6	6	6	6	6
	5	5	5	5	5	5	5
	4	4	4	4	4	4	4
	3	3	3	3	3	3	3
	2	2	2	2	2	2	2
	1	1	1	1	1	1	1
	12	12	12	12	12	12	12
	11	11	11	11	11	11	11
	10	10	10	10	10	10	10
	9	9	9	9	9	9	9
	8	8	8	8	8	8	8
am	7	7	7	7	7	7	7
	6	6	6	6	6	6	6
	5	5	5	5	5	5	5
	4	4	4	4	4	4	4
	3	3	3	3	3	3	3
	2	2	2	2	2	2	2
	1	1	1	1	1	1	1
	12	12	12	12	12	12	12
	11	11	11	11	11	11	11
	10	10	10	10	10	10	10
	9	9	9	9	9	9	9
	8	8	8	8	8	8	8
pm	7	7	7	7	7	7	7

My Gratitude Log

- ○
- ○
- ○
- ○
- ○
- ○
- ○
- ○
- ○
- ○
- ○
- ○
- ○
- ○
- ○
- ○
- ○
- ○
- ○
- ○
- ○
- ○
- ○
- ○
- ○
- ○

Acts Of Kindness Log

- ○
- ○
- ○
- ○
- ○
- ○
- ○
- ○
- ○
- ○
- ○
- ○
- ○
- ○
- ○
- ○

My Month In Review

My month in 3 words:

- ○ ______
- ○ ______
- ○ ______

What went well?

- ☐ ______ ☐ ______
- ☐ ______ ☐ ______
- ☐ ______ ☐ ______

Reasons to celebrate

- ☐ ______ ☐ ______
- ☐ ______ ☐ ______
- ☐ ______ ☐ ______
- ☐ ______ ☐ ______
- ☐ ______ ☐ ______

Obstacles I overcame

- ○ ______
- ○ ______
- ○ ______
- ○ ______
- ○ ______
- ○ ______
- ○ ______

Things I learned

- ○ ______
- ○ ______
- ○ ______
- ○ ______
- ○ ______
- ○ ______
- ○ ______

Words To Live By

NEVER GIVE UP ON THE THINGS THAT MAKES YOU smile

ONE DAY or day one you decide.

run when you can,
walk if you have to,
crawl if you must,
just never give up.

ALWAYS BE A FIRST RATE VERSION OF yourself INSTEAD OF A SECOND RATE VERSION OF someone else

MAKE TODAY ridiculously amazing

Different doesn't mean Wrong

BE Stronger than your EXCUSES

Don't call it a dream CALL IT A plan

The Month Ahead

This Month:

My focus this month is: ______________

Important Tasks

- [ ] ______________
- [ ] ______________
- [ ] ______________
- [ ] ______________
- [ ] ______________
- [ ] ______________
- [ ] ______________
- [ ] ______________

Key Dates

- ○ ______________
- ○ ______________
- ○ ______________
- ○ ______________
- ○ ______________

Must Remember

____

____

____

____

____

Week One

This week: ____________________

My Main Priorities

- ○ ____________________
- ○ ____________________
- ○ ____________________

My To-Do List

- ☐ ____________________
- ☐ ____________________
- ☐ ____________________
- ☐ ____________________
- ☐ ____________________
- ☐ ____________________
- ☐ ____________________
- ☐ ____________________
- ☐ ____________________

Habit Tracker

	M	T	W	T	F	S	S

Exercise

Mon	
Tue	
Wed	
Thu	
Fri	
Sat	
Sun	

Mood

1 2 3

4 5 6 7

Key

Strong	Fear
Happy	Sad
Calm	Mad

Energy

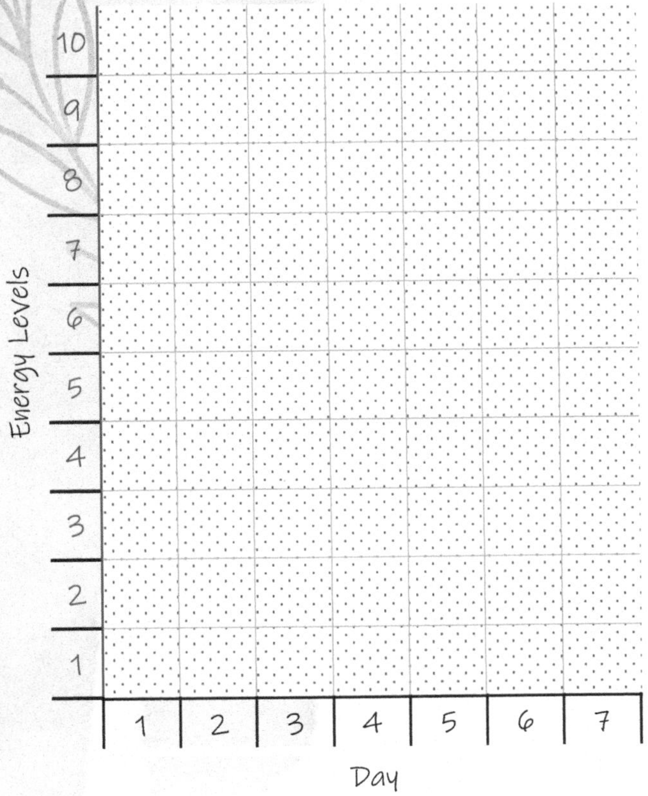

Sleep

	Mon	Tue	Wed	Thu	Fri	Sat	Sun
pm	6	6	6	6	6	6	6
	5	5	5	5	5	5	5
	4	4	4	4	4	4	4
	3	3	3	3	3	3	3
	2	2	2	2	2	2	2
	1	1	1	1	1	1	1
	12	12	12	12	12	12	12
	11	11	11	11	11	11	11
	10	10	10	10	10	10	10
	9	9	9	9	9	9	9
am	8	8	8	8	8	8	8
	7	7	7	7	7	7	7
	6	6	6	6	6	6	6
	5	5	5	5	5	5	5
	4	4	4	4	4	4	4
	3	3	3	3	3	3	3
	2	2	2	2	2	2	2
	1	1	1	1	1	1	1
	12	12	12	12	12	12	12
	11	11	11	11	11	11	11
	10	10	10	10	10	10	10
	9	9	9	9	9	9	9
pm	8	8	8	8	8	8	8
	7	7	7	7	7	7	7

Week Two

This week: ____________________

My Main Priorities

- ○ ____________________
- ○ ____________________
- ○ ____________________

My To-Do List

- ☐ ____________________
- ☐ ____________________
- ☐ ____________________
- ☐ ____________________
- ☐ ____________________
- ☐ ____________________
- ☐ ____________________
- ☐ ____________________
- ☐ ____________________

Habit Tracker

	M	T	W	T	F	S	S

Exercise

Mon	
Tue	
Wed	
Thu	
Fri	
Sat	
Sun	

Mood

1 2 3

4 5 6 7

Key

- Strong
- Happy
- Calm
- Fear
- Sad
- Mad

Energy

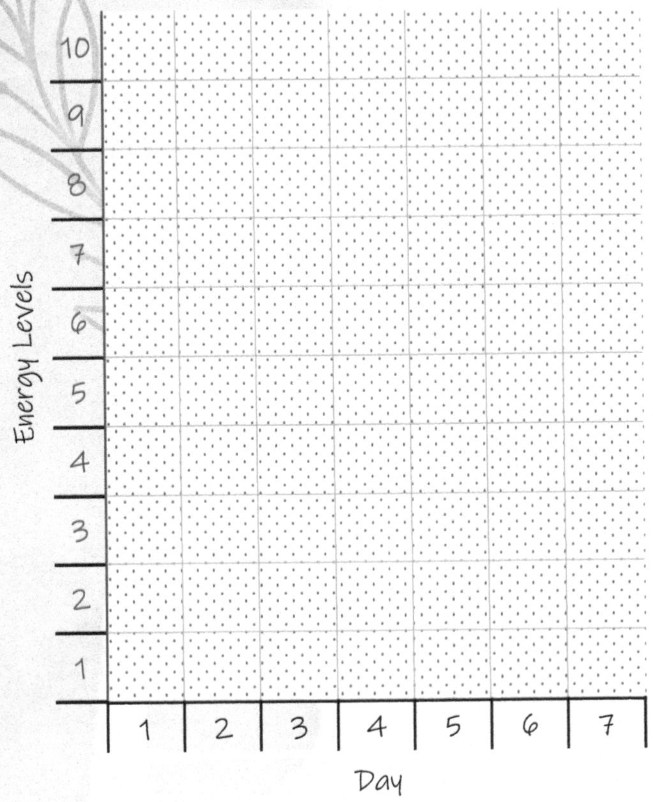

Sleep

pm	6	6	6	6	6	6	6
	5	5	5	5	5	5	5
	4	4	4	4	4	4	4
	3	3	3	3	3	3	3
	2	2	2	2	2	2	2
	1	1	1	1	1	1	1
	12	12	12	12	12	12	12
	11	11	11	11	11	11	11
	10	10	10	10	10	10	10
	9	9	9	9	9	9	9
am	8	8	8	8	8	8	8
	7	7	7	7	7	7	7
	6	6	6	6	6	6	6
	5	5	5	5	5	5	5
	4	4	4	4	4	4	4
	3	3	3	3	3	3	3
	2	2	2	2	2	2	2
	1	1	1	1	1	1	1
	12	12	12	12	12	12	12
	11	11	11	11	11	11	11
	10	10	10	10	10	10	10
	9	9	9	9	9	9	9
pm	8	8	8	8	8	8	8
	7	7	7	7	7	7	7
	Mon	Tue	Wed	Thu	Fri	Sat	Sun

Week Three

This week: ______________________

My Main Priorities

- ○ ______________________
- ○ ______________________
- ○ ______________________

My To-Do List

- ☐ ______________________
- ☐ ______________________
- ☐ ______________________
- ☐ ______________________
- ☐ ______________________
- ☐ ______________________
- ☐ ______________________
- ☐ ______________________
- ☐ ______________________

Habit Tracker

	M	T	W	T	F	S	S

Exercise

Mon	
Tue	
Wed	
Thu	
Fri	
Sat	
Sun	

Mood

1 2 3

4 5 6 7

Key

- Strong
- Happy
- Calm
- Fear
- Sad
- Mad

Energy

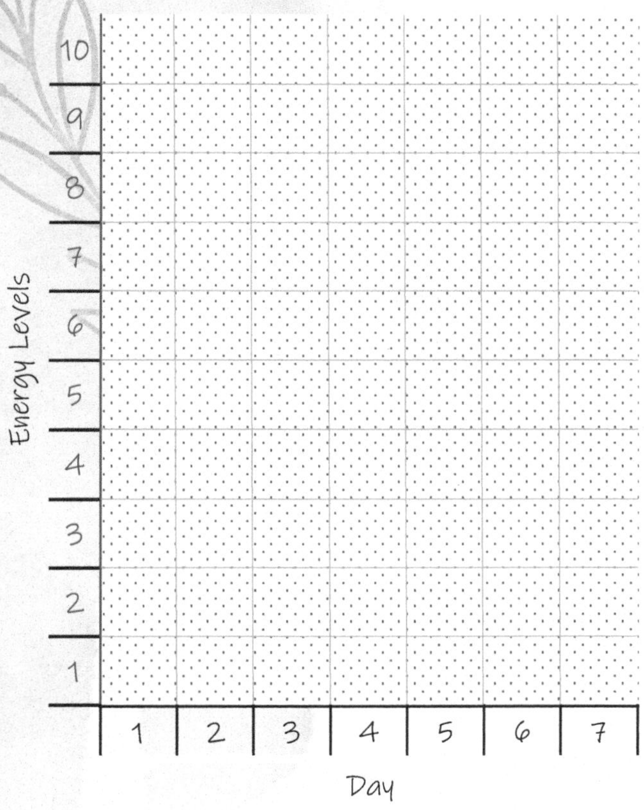

Sleep

	pm						am												pm					
Mon	7	8	9	10	11	12	1	2	3	4	5	6	7	8	9	10	11	12	1	2	3	4	5	6
Tue	7	8	9	10	11	12	1	2	3	4	5	6	7	8	9	10	11	12	1	2	3	4	5	6
Wed	7	8	9	10	11	12	1	2	3	4	5	6	7	8	9	10	11	12	1	2	3	4	5	6
Thu	7	8	9	10	11	12	1	2	3	4	5	6	7	8	9	10	11	12	1	2	3	4	5	6
Fri	7	8	9	10	11	12	1	2	3	4	5	6	7	8	9	10	11	12	1	2	3	4	5	6
Sat	7	8	9	10	11	12	1	2	3	4	5	6	7	8	9	10	11	12	1	2	3	4	5	6
Sun	7	8	9	10	11	12	1	2	3	4	5	6	7	8	9	10	11	12	1	2	3	4	5	6

Week Four

This week: ____________________

My Main Priorities

- ○ ____________________
- ○ ____________________
- ○ ____________________

My To-Do List

- ☐ ____________________
- ☐ ____________________
- ☐ ____________________
- ☐ ____________________
- ☐ ____________________
- ☐ ____________________
- ☐ ____________________
- ☐ ____________________
- ☐ ____________________

Habit Tracker

	M	T	W	T	F	S	S

Exercise

Mon	
Tue	
Wed	
Thu	
Fri	
Sat	
Sun	

Mood

1 2 3

4 5 6 7

Key

- Strong
- Happy
- Calm
- Fear
- Sad
- Mad

Energy

Energy Levels							
10							
9							
8							
7							
6							
5							
4							
3							
2							
1							
Day	1	2	3	4	5	6	7

Sleep

	pm 7	8	9	10	11	12	1	2	3	4	5	6	am 7	8	9	10	11	12	1	2	3	4	pm 5	6
Mon	7	8	9	10	11	12	1	2	3	4	5	6	7	8	9	10	11	12	1	2	3	4	5	6
Tue	7	8	9	10	11	12	1	2	3	4	5	6	7	8	9	10	11	12	1	2	3	4	5	6
Wed	7	8	9	10	11	12	1	2	3	4	5	6	7	8	9	10	11	12	1	2	3	4	5	6
Thu	7	8	9	10	11	12	1	2	3	4	5	6	7	8	9	10	11	12	1	2	3	4	5	6
Fri	7	8	9	10	11	12	1	2	3	4	5	6	7	8	9	10	11	12	1	2	3	4	5	6
Sat	7	8	9	10	11	12	1	2	3	4	5	6	7	8	9	10	11	12	1	2	3	4	5	6
Sun	7	8	9	10	11	12	1	2	3	4	5	6	7	8	9	10	11	12	1	2	3	4	5	6

My Gratitude Log

Acts Of Kindness Log

My Month In Review

My month in 3 words:

- ○
- ○
- ○

What went well?

- [ ]
- [ ]
- [ ]
- [ ]
- [ ]
- [ ]

Reasons to celebrate

- [ ]
- [ ]
- [ ]
- [ ]
- [ ]
- [ ]
- [ ]
- [ ]
- [ ]
- [ ]

Obstacles I overcame

- ○
- ○
- ○
- ○
- ○
- ○
- ○

Things I learned

- ○
- ○
- ○
- ○
- ○
- ○
- ○

My Mental Health

I will make an effort to look after my mental health because:

Things I know upset me

- ○ ______
- ○ ______
- ○ ______

Do these on a bad day

- ○ ______
- ○ ______
- ○ ______
- ○ ______
- ○ ______
- ○ ______
- ○ ______

Do these to keep calm

- ○ ______
- ○ ______
- ○ ______
- ○ ______
- ○ ______

These make me happy

- ○ ______
- ○ ______
- ○ ______
- ○ ______
- ○ ______

People to reach out to

- ○ ______
- ○ ______
- ○ ______
- ○ ______
- ○ ______
- ○ ______
- ○ ______

The Month Ahead

This Month:
My focus this month is:

Important Tasks

- [ ]
- [ ]
- [ ]
- [ ]
- [ ]
- [ ]
- [ ]
- [ ]

Key Dates

-
-
-
-
-

Must Remember

Week One

This week: ______________________

My Main Priorities

- ○ ______________________
- ○ ______________________
- ○ ______________________

My To-Do List

- ☐ ______________________
- ☐ ______________________
- ☐ ______________________
- ☐ ______________________
- ☐ ______________________
- ☐ ______________________
- ☐ ______________________
- ☐ ______________________
- ☐ ______________________

Habit Tracker

	M	T	W	T	F	S	S

Exercise

Mon	
Tue	
Wed	
Thu	
Fri	
Sat	
Sun	

Mood

1 2 3

4 5 6 7

Key

- Strong
- Happy
- Calm
- Fear
- Sad
- Mad

Energy

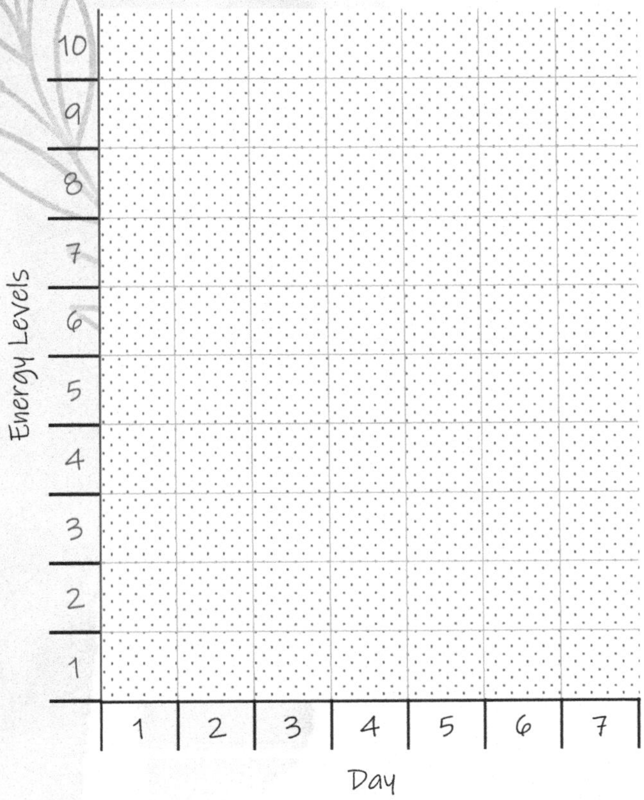

Sleep

	Mon	Tue	Wed	Thu	Fri	Sat	Sun
pm	6	6	6	6	6	6	6
	5	5	5	5	5	5	5
	4	4	4	4	4	4	4
	3	3	3	3	3	3	3
	2	2	2	2	2	2	2
	1	1	1	1	1	1	1
	12	12	12	12	12	12	12
	11	11	11	11	11	11	11
	10	10	10	10	10	10	10
	9	9	9	9	9	9	9
am	8	8	8	8	8	8	8
	7	7	7	7	7	7	7
	6	6	6	6	6	6	6
	5	5	5	5	5	5	5
	4	4	4	4	4	4	4
	3	3	3	3	3	3	3
	2	2	2	2	2	2	2
	1	1	1	1	1	1	1
	12	12	12	12	12	12	12
	11	11	11	11	11	11	11
	10	10	10	10	10	10	10
	9	9	9	9	9	9	9
	8	8	8	8	8	8	8
pm	7	7	7	7	7	7	7

Week Two

This week: ______________________

My Main Priorities

- ○ ______________________
- ○ ______________________
- ○ ______________________

My To-Do List

- [ ] ______________________
- [ ] ______________________
- [ ] ______________________
- [ ] ______________________
- [ ] ______________________
- [ ] ______________________
- [ ] ______________________
- [ ] ______________________
- [ ] ______________________

Habit Tracker

	M	T	W	T	F	S	S

Exercise

Mon	
Tue	
Wed	
Thu	
Fri	
Sat	
Sun	

Mood

1 2 3

4 5 6 7

Key

- Strong
- Fear
- Happy
- Sad
- Calm
- Mad

Energy

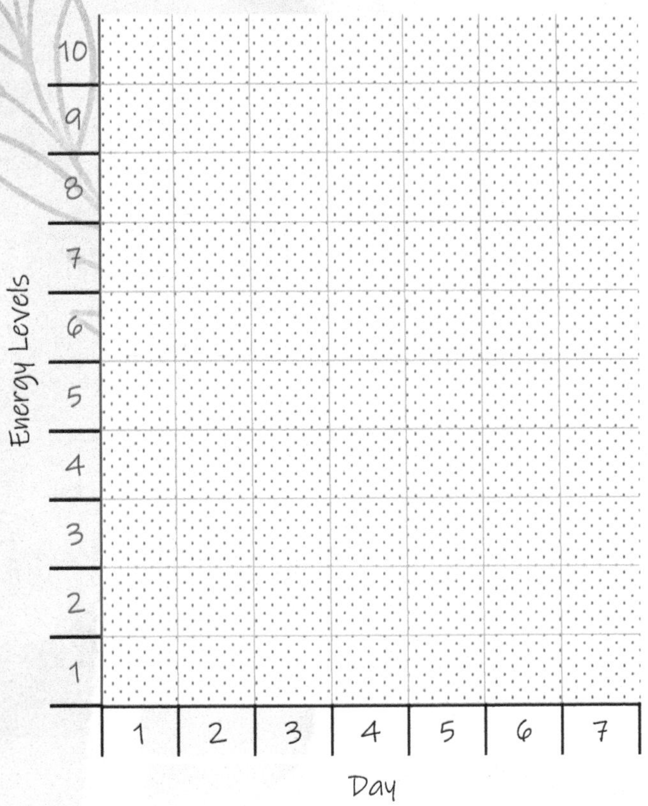

Sleep

	Mon	Tue	Wed	Thu	Fri	Sat	Sun
pm	6	6	6	6	6	6	6
	5	5	5	5	5	5	5
	4	4	4	4	4	4	4
	3	3	3	3	3	3	3
	2	2	2	2	2	2	2
	1	1	1	1	1	1	1
	12	12	12	12	12	12	12
	11	11	11	11	11	11	11
	10	10	10	10	10	10	10
	9	9	9	9	9	9	9
am	8	8	8	8	8	8	8
	7	7	7	7	7	7	7
	6	6	6	6	6	6	6
	5	5	5	5	5	5	5
	4	4	4	4	4	4	4
	3	3	3	3	3	3	3
	2	2	2	2	2	2	2
	1	1	1	1	1	1	1
	12	12	12	12	12	12	12
	11	11	11	11	11	11	11
	10	10	10	10	10	10	10
	9	9	9	9	9	9	9
pm	8	8	8	8	8	8	8
	7	7	7	7	7	7	7

Week Three

This week: ____________________

My Main Priorities

- ○ ____________________
- ○ ____________________
- ○ ____________________

My To-Do List

- [ ] ____________________
- [ ] ____________________
- [ ] ____________________
- [ ] ____________________
- [ ] ____________________
- [ ] ____________________
- [ ] ____________________
- [ ] ____________________
- [ ] ____________________

Habit Tracker

	M	T	W	T	F	S	S

Exercise

Mon	
Tue	
Wed	
Thu	
Fri	
Sat	
Sun	

Mood

1 2 3

4 5 6 7

Key

Strong Fear

Happy Sad

Calm Mad

Energy

Energy Levels

10
9
8
7
6
5
4
3
2
1

1 2 3 4 5 6 7

Day

Sleep

	Mon	Tue	Wed	Thu	Fri	Sat	Sun
pm	6	6	6	6	6	6	6
	5	5	5	5	5	5	5
	4	4	4	4	4	4	4
	3	3	3	3	3	3	3
	2	2	2	2	2	2	2
	1	1	1	1	1	1	1
	12	12	12	12	12	12	12
	11	11	11	11	11	11	11
	10	10	10	10	10	10	10
	9	9	9	9	9	9	9
	8	8	8	8	8	8	8
am	7	7	7	7	7	7	7
	6	6	6	6	6	6	6
	5	5	5	5	5	5	5
	4	4	4	4	4	4	4
	3	3	3	3	3	3	3
	2	2	2	2	2	2	2
	1	1	1	1	1	1	1
	12	12	12	12	12	12	12
	11	11	11	11	11	11	11
	10	10	10	10	10	10	10
	9	9	9	9	9	9	9
	8	8	8	8	8	8	8
pm	7	7	7	7	7	7	7

Week Four

This week: ____________________

My Main Priorities

- ○ ____________________
- ○ ____________________
- ○ ____________________

My To-Do List

- ☐ ____________________
- ☐ ____________________
- ☐ ____________________
- ☐ ____________________
- ☐ ____________________
- ☐ ____________________
- ☐ ____________________
- ☐ ____________________
- ☐ ____________________

Habit Tracker

	M	T	W	T	F	S	S

Exercise

Mon	
Tue	
Wed	
Thu	
Fri	
Sat	
Sun	

Mood

1 2 3

4 5 6 7

Key

- Strong
- Happy
- Calm
- Fear
- Sad
- Mad

Energy

Energy Levels: 10, 9, 8, 7, 6, 5, 4, 3, 2, 1

Day: 1, 2, 3, 4, 5, 6, 7

Sleep

	pm											am											pm
Mon	7	8	9	10	11	12	1	2	3	4	5	6	7	8	9	10	11	12	1	2	3	4	5	6
Tue	7	8	9	10	11	12	1	2	3	4	5	6	7	8	9	10	11	12	1	2	3	4	5	6
Wed	7	8	9	10	11	12	1	2	3	4	5	6	7	8	9	10	11	12	1	2	3	4	5	6
Thu	7	8	9	10	11	12	1	2	3	4	5	6	7	8	9	10	11	12	1	2	3	4	5	6
Fri	7	8	9	10	11	12	1	2	3	4	5	6	7	8	9	10	11	12	1	2	3	4	5	6
Sat	7	8	9	10	11	12	1	2	3	4	5	6	7	8	9	10	11	12	1	2	3	4	5	6
Sun	7	8	9	10	11	12	1	2	3	4	5	6	7	8	9	10	11	12	1	2	3	4	5	6

My Gratitude Log

Acts Of Kindness Log

My Month In Review

My month in 3 words:

- ○ ______
- ○ ______
- ○ ______

What went well?

- ☐ ______ ☐ ______
- ☐ ______ ☐ ______
- ☐ ______ ☐ ______

Reasons to celebrate

- ☐ ______ ☐ ______
- ☐ ______ ☐ ______
- ☐ ______ ☐ ______
- ☐ ______ ☐ ______
- ☐ ______ ☐ ______

Obstacles I overcame

- ○ ______
- ○ ______
- ○ ______
- ○ ______
- ○ ______
- ○ ______
- ○ ______

Things I learned

- ○ ______
- ○ ______
- ○ ______
- ○ ______
- ○ ______
- ○ ______
- ○ ______

Books, Podcasts & Ted Talks

My goal is to learn about:

Books To Read

- [ ]
- [ ]
- [ ]
- [ ]
- [ ]
- [ ]
- [ ]
- [ ]
- [ ]
- [ ]

Podcasts To Listen To

- [ ]
- [ ]
- [ ]
- [ ]
- [ ]
- [ ]
- [ ]
- [ ]
- [ ]
- [ ]

Ted Talks To Watch

- [ ]
- [ ]
- [ ]
- [ ]
- [ ]
- [ ]
- [ ]
- [ ]
- [ ]
- [ ]

My Self-Care Playlist

My top 5 favorite songs:

- ○ ____________________
- ○ ____________________
- ○ ____________________
- ○ ____________________
- ○ ____________________

Other music that helps me feel my emotions:

▷ ⏸ ____________________

▷ ⏸ ____________________

▷ ⏸ ____________________

▷ ⏸ ____________________

▷ ⏸ ____________________

▷ ⏸ ____________________

▷ ⏸ ____________________

▷ ⏸ ____________________

▷ ⏸ ____________________

▷ ⏸ ____________________

▷ ⏸ ____________________

▷ ⏸ ____________________

Bad Habits to Break

I want to break these bad habits because:

The habit: ______

What makes it bad: ______

What would happen if I kept doing it?: ______

How will I attempt to break it? ______

The habit: ______

What makes it bad: ______

What would happen if I kept doing it?: ______

How will I attempt to break it? ______

The habit: ______

What makes it bad: ______

What would happen if I kept doing it?: ______

How will I attempt to break it? ______

Positive Self Talk

I want to say these things to myself because:

- ○
- ○
- ○
- ○
- ○
- ○
- ○
- ○
- ○
- ○
- ○
- ○
- ○
- ○

Words To Live By

Believe

YOU GOT THIS

Choose joy

BE KIND EVEN ON YOUR BAD DAYS

YOU ONLY FAIL WHEN YOU STOP trying

YOU ARE WHAT YOU DO NOT WHAT YOU SAY You'll Do.

STRIVE for progress NOT PERFECTION

YOU ARE living YOUR story

Be the person YOU WANT to have in YOUR LIFE

you don't HAVE TO BE PERFECT to be Amazing

YOUR speed DOESN'T MATTER FORWARD IS FORWARD

Good things TAKE TIME

YOU CAN'T live a Positive Life with a Negative MIND

WISH LESS work more

YOU ARE YOUR Only Limit

The Month Ahead

This Month:

My focus this month is: __________

Important Tasks

- [ ]
- [ ]
- [ ]
- [ ]
- [ ]
- [ ]
- [ ]
- [ ]

Key Dates

-
-
-
-
-

Must Remember

Week One

This week: ____________

My Main Priorities

- ○ ____________
- ○ ____________
- ○ ____________

My To-Do List

- ☐ ____________
- ☐ ____________
- ☐ ____________
- ☐ ____________
- ☐ ____________
- ☐ ____________
- ☐ ____________
- ☐ ____________
- ☐ ____________

Habit Tracker

	M	T	W	T	F	S	S

Exercise

Mon	
Tue	
Wed	
Thu	
Fri	
Sat	
Sun	

Mood

1 2 3

4 5 6 7

Key

Strong | Fear
Happy | Sad
Calm | Mad

Energy

Energy Levels: 10, 9, 8, 7, 6, 5, 4, 3, 2, 1

Day: 1, 2, 3, 4, 5, 6, 7

Sleep

	Mon	Tue	Wed	Thu	Fri	Sat	Sun
pm	6	6	6	6	6	6	6
	5	5	5	5	5	5	5
	4	4	4	4	4	4	4
	3	3	3	3	3	3	3
	2	2	2	2	2	2	2
	1	1	1	1	1	1	1
	12	12	12	12	12	12	12
	11	11	11	11	11	11	11
	10	10	10	10	10	10	10
	9	9	9	9	9	9	9
am	8	8	8	8	8	8	8
	7	7	7	7	7	7	7
	6	6	6	6	6	6	6
	5	5	5	5	5	5	5
	4	4	4	4	4	4	4
	3	3	3	3	3	3	3
	2	2	2	2	2	2	2
	1	1	1	1	1	1	1
	12	12	12	12	12	12	12
	11	11	11	11	11	11	11
	10	10	10	10	10	10	10
	9	9	9	9	9	9	9
	8	8	8	8	8	8	8
pm	7	7	7	7	7	7	7

Week Two

This week: ____________________

My Main Priorities

- ○ ____________________
- ○ ____________________
- ○ ____________________

My To-Do List

- ☐ ____________________
- ☐ ____________________
- ☐ ____________________
- ☐ ____________________
- ☐ ____________________
- ☐ ____________________
- ☐ ____________________
- ☐ ____________________
- ☐ ____________________

Habit Tracker

	M	T	W	T	F	S	S

Exercise

Mon	
Tue	
Wed	
Thu	
Fri	
Sat	
Sun	

Mood

1 2 3

4 5 6 7

Key

- Strong
- Happy
- Calm
- Fear
- Sad
- Mad

Energy

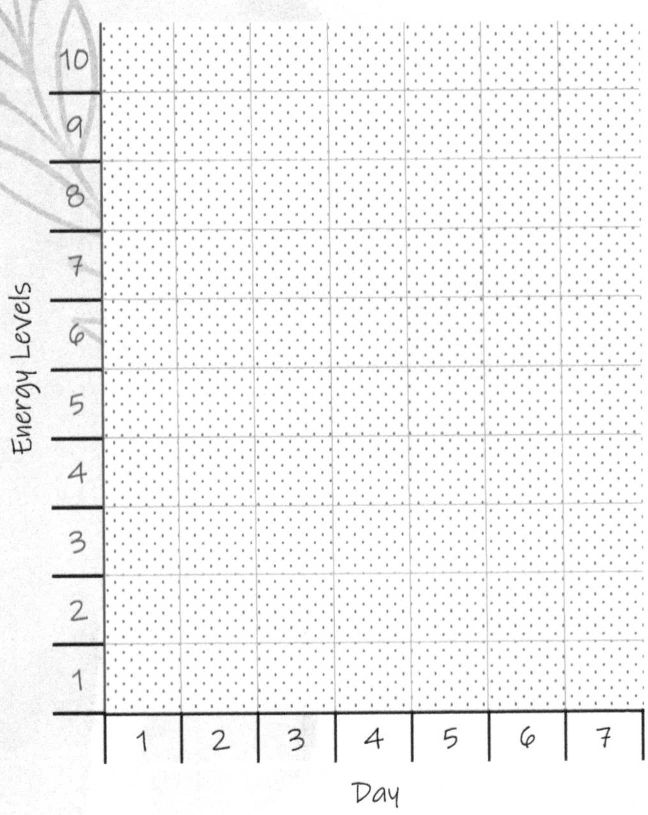

Sleep

	Mon	Tue	Wed	Thu	Fri	Sat	Sun
pm 7	7	7	7	7	7	7	7
8	8	8	8	8	8	8	8
9	9	9	9	9	9	9	9
10	10	10	10	10	10	10	10
11	11	11	11	11	11	11	11
12	12	12	12	12	12	12	12
1	1	1	1	1	1	1	1
2	2	2	2	2	2	2	2
3	3	3	3	3	3	3	3
4	4	4	4	4	4	4	4
5	5	5	5	5	5	5	5
6	6	6	6	6	6	6	6
am 7	7	7	7	7	7	7	7
8	8	8	8	8	8	8	8
9	9	9	9	9	9	9	9
10	10	10	10	10	10	10	10
11	11	11	11	11	11	11	11
12	12	12	12	12	12	12	12
1	1	1	1	1	1	1	1
2	2	2	2	2	2	2	2
3	3	3	3	3	3	3	3
4	4	4	4	4	4	4	4
5	5	5	5	5	5	5	5
pm 6	6	6	6	6	6	6	6

Week Three

This week: ______________________

My Main Priorities

- ○ ______________________
- ○ ______________________
- ○ ______________________

My To-Do List

- ☐ ______________________
- ☐ ______________________
- ☐ ______________________
- ☐ ______________________
- ☐ ______________________
- ☐ ______________________
- ☐ ______________________
- ☐ ______________________
- ☐ ______________________

Habit Tracker

	M	T	W	T	F	S	S

Exercise

Mon	
Tue	
Wed	
Thu	
Fri	
Sat	
Sun	

Mood

1 2 3

4 5 6 7

Key

- Strong
- Happy
- Calm
- Fear
- Sad
- Mad

Energy

Energy Levels: 10, 9, 8, 7, 6, 5, 4, 3, 2, 1

Day: 1, 2, 3, 4, 5, 6, 7

Sleep

	Mon	Tue	Wed	Thu	Fri	Sat	Sun
pm	6	6	6	6	6	6	6
	5	5	5	5	5	5	5
	4	4	4	4	4	4	4
	3	3	3	3	3	3	3
	2	2	2	2	2	2	2
	1	1	1	1	1	1	1
	12	12	12	12	12	12	12
	11	11	11	11	11	11	11
	10	10	10	10	10	10	10
	9	9	9	9	9	9	9
am	8	8	8	8	8	8	8
	7	7	7	7	7	7	7
	6	6	6	6	6	6	6
	5	5	5	5	5	5	5
	4	4	4	4	4	4	4
	3	3	3	3	3	3	3
	2	2	2	2	2	2	2
	1	1	1	1	1	1	1
	12	12	12	12	12	12	12
	11	11	11	11	11	11	11
	10	10	10	10	10	10	10
	9	9	9	9	9	9	9
pm	8	8	8	8	8	8	8
	7	7	7	7	7	7	7

Week Four

This week: ______________________

My Main Priorities

- ○ ______________________
- ○ ______________________
- ○ ______________________

My To-Do List

- ☐ ______________________
- ☐ ______________________
- ☐ ______________________
- ☐ ______________________
- ☐ ______________________
- ☐ ______________________
- ☐ ______________________
- ☐ ______________________
- ☐ ______________________

Habit Tracker

	M	T	W	T	F	S	S

Exercise

Mon	
Tue	
Wed	
Thu	
Fri	
Sat	
Sun	

Mood

1 2 3

4 5 6 7

Key

- Strong
- Happy
- Calm
- Fear
- Sad
- Mad

Energy

Energy Levels							
10							
9							
8							
7							
6							
5							
4							
3							
2							
1							
Day	1	2	3	4	5	6	7

Sleep

	Mon	Tue	Wed	Thu	Fri	Sat	Sun
pm	6	6	6	6	6	6	6
	5	5	5	5	5	5	5
	4	4	4	4	4	4	4
	3	3	3	3	3	3	3
	2	2	2	2	2	2	2
	1	1	1	1	1	1	1
	12	12	12	12	12	12	12
	11	11	11	11	11	11	11
	10	10	10	10	10	10	10
	9	9	9	9	9	9	9
am	8	8	8	8	8	8	8
	7	7	7	7	7	7	7
	6	6	6	6	6	6	6
	5	5	5	5	5	5	5
	4	4	4	4	4	4	4
	3	3	3	3	3	3	3
	2	2	2	2	2	2	2
	1	1	1	1	1	1	1
	12	12	12	12	12	12	12
	11	11	11	11	11	11	11
	10	10	10	10	10	10	10
	9	9	9	9	9	9	9
	8	8	8	8	8	8	8
pm	7	7	7	7	7	7	7

My Gratitude Log

Acts Of Kindness Log

My Month In Review

My month in 3 words:

- ○
- ○
- ○

What went well?

- [ ]
- [ ]
- [ ]
- [ ]
- [ ]
- [ ]

Reasons to celebrate

- [ ]
- [ ]
- [ ]
- [ ]
- [ ]
- [ ]
- [ ]
- [ ]
- [ ]
- [ ]

Obstacles I overcame

- ○
- ○
- ○
- ○
- ○
- ○
- ○

Things I learned

- ○
- ○
- ○
- ○
- ○
- ○
- ○

Words To Live By

DO ALL THINGS WITH Love

DON'T BE AFRAID to DREAM big

Anything is Possible

Don't look BACK you're not GOING that way

PAIN is INEVITABLE SUFFERING is OPTIONAL

Your life doesn't get better BY chance. It gets better BY CHANGE

BE BRAVE. TAKE RISKS. NOTHING can substitute EXPERIENCE.

TO GIVE ANYTHING LESS THAN YOUR BEST is to SACRIFICE THE GIFT

The Month Ahead

This Month:
My focus this month is:

Important Tasks

- [ ]
- [ ]
- [ ]
- [ ]
- [ ]
- [ ]
- [ ]
- [ ]

Key Dates

Must Remember

Week One

This week: ____________________

My Main Priorities

- ○ ____________________
- ○ ____________________
- ○ ____________________

My To-Do List

- [ ] ____________________
- [ ] ____________________
- [ ] ____________________
- [ ] ____________________
- [ ] ____________________
- [ ] ____________________
- [ ] ____________________
- [ ] ____________________
- [ ] ____________________

Habit Tracker

	M	T	W	T	F	S	S

Exercise

Mon	
Tue	
Wed	
Thu	
Fri	
Sat	
Sun	

Mood

1 2 3

4 5 6 7

Key

- Strong
- Fear
- Happy
- Sad
- Calm
- Mad

Energy

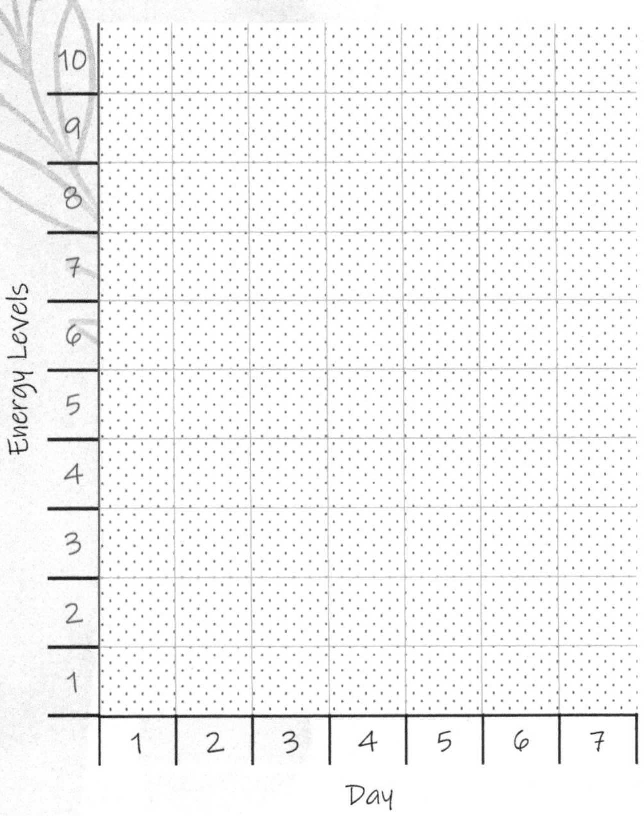

Sleep

	Mon	Tue	Wed	Thu	Fri	Sat	Sun
pm	6	6	6	6	6	6	6
	5	5	5	5	5	5	5
	4	4	4	4	4	4	4
	3	3	3	3	3	3	3
	2	2	2	2	2	2	2
	1	1	1	1	1	1	1
	12	12	12	12	12	12	12
	11	11	11	11	11	11	11
	10	10	10	10	10	10	10
	9	9	9	9	9	9	9
	8	8	8	8	8	8	8
am	7	7	7	7	7	7	7
	6	6	6	6	6	6	6
	5	5	5	5	5	5	5
	4	4	4	4	4	4	4
	3	3	3	3	3	3	3
	2	2	2	2	2	2	2
	1	1	1	1	1	1	1
	12	12	12	12	12	12	12
	11	11	11	11	11	11	11
	10	10	10	10	10	10	10
	9	9	9	9	9	9	9
	8	8	8	8	8	8	8
pm	7	7	7	7	7	7	7

Week Two

This week: ______________________

My Main Priorities

- ○ ______________________
- ○ ______________________
- ○ ______________________

My To-Do List

- ❑ ______________________
- ❑ ______________________
- ❑ ______________________
- ❑ ______________________
- ❑ ______________________
- ❑ ______________________
- ❑ ______________________
- ❑ ______________________
- ❑ ______________________

Habit Tracker

	M	T	W	T	F	S	S

Exercise

Mon	
Tue	
Wed	
Thu	
Fri	
Sat	
Sun	

Mood

1 2 3

4 5 6 7

Key

- Strong
- Fear
- Happy
- Sad
- Calm
- Mad

Energy

Energy Levels: 10, 9, 8, 7, 6, 5, 4, 3, 2, 1

Day: 1, 2, 3, 4, 5, 6, 7

Sleep

	Mon	Tue	Wed	Thu	Fri	Sat	Sun
pm	6	6	6	6	6	6	6
	5	5	5	5	5	5	5
	4	4	4	4	4	4	4
	3	3	3	3	3	3	3
	2	2	2	2	2	2	2
	1	1	1	1	1	1	1
	12	12	12	12	12	12	12
	11	11	11	11	11	11	11
	10	10	10	10	10	10	10
	9	9	9	9	9	9	9
am	8	8	8	8	8	8	8
	7	7	7	7	7	7	7
	6	6	6	6	6	6	6
	5	5	5	5	5	5	5
	4	4	4	4	4	4	4
	3	3	3	3	3	3	3
	2	2	2	2	2	2	2
	1	1	1	1	1	1	1
	12	12	12	12	12	12	12
	11	11	11	11	11	11	11
	10	10	10	10	10	10	10
	9	9	9	9	9	9	9
	8	8	8	8	8	8	8
pm	7	7	7	7	7	7	7

Week Three

This week: ____________________

My Main Priorities

- ○ ____________________
- ○ ____________________
- ○ ____________________

My To-Do List

- ☐ ____________________
- ☐ ____________________
- ☐ ____________________
- ☐ ____________________
- ☐ ____________________
- ☐ ____________________
- ☐ ____________________
- ☐ ____________________
- ☐ ____________________

Habit Tracker

	M	T	W	T	F	S	S

Exercise

Mon	
Tue	
Wed	
Thu	
Fri	
Sat	
Sun	

Mood

1 2 3

4 5 6 7

Key

Strong	Fear
Happy	Sad
Calm	Mad

Energy

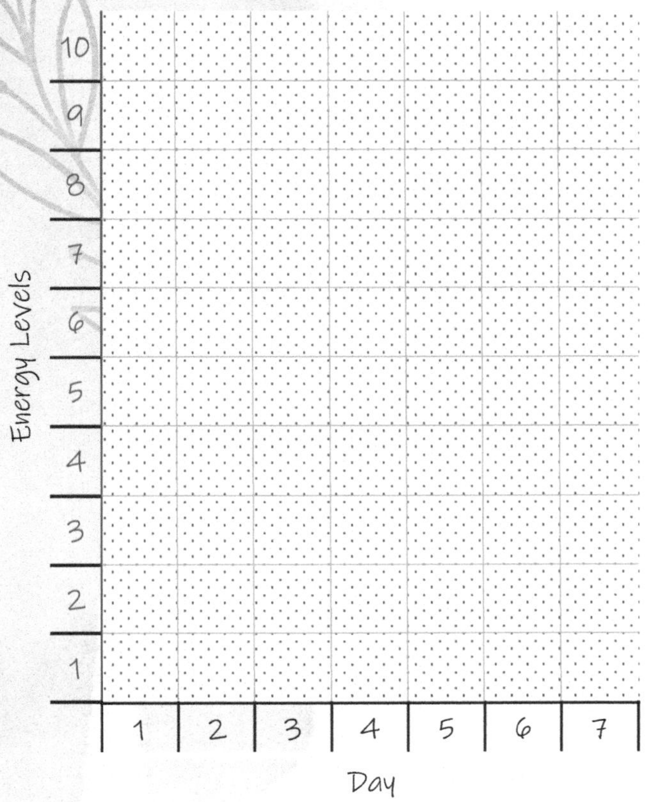

Sleep

	Mon	Tue	Wed	Thu	Fri	Sat	Sun
pm	6	6	6	6	6	6	6
	5	5	5	5	5	5	5
	4	4	4	4	4	4	4
	3	3	3	3	3	3	3
	2	2	2	2	2	2	2
	1	1	1	1	1	1	1
	12	12	12	12	12	12	12
	11	11	11	11	11	11	11
	10	10	10	10	10	10	10
	9	9	9	9	9	9	9
am	8	8	8	8	8	8	8
	7	7	7	7	7	7	7
	6	6	6	6	6	6	6
	5	5	5	5	5	5	5
	4	4	4	4	4	4	4
	3	3	3	3	3	3	3
	2	2	2	2	2	2	2
	1	1	1	1	1	1	1
	12	12	12	12	12	12	12
	11	11	11	11	11	11	11
	10	10	10	10	10	10	10
	9	9	9	9	9	9	9
	8	8	8	8	8	8	8
pm	7	7	7	7	7	7	7

Week Four

This week: ___________________

My Main Priorities

- ○ ___________________
- ○ ___________________
- ○ ___________________

My To-Do List

- ☐ ___________________
- ☐ ___________________
- ☐ ___________________
- ☐ ___________________
- ☐ ___________________
- ☐ ___________________
- ☐ ___________________
- ☐ ___________________
- ☐ ___________________

Habit Tracker

	M	T	W	T	F	S	S

Exercise

Mon	
Tue	
Wed	
Thu	
Fri	
Sat	
Sun	

Mood

1 2 3

4 5 6 7

Key

- Strong
- Happy
- Calm
- Fear
- Sad
- Mad

Energy

Energy Levels

10
9
8
7
6
5
4
3
2
1

1 2 3 4 5 6 7

Day

Sleep

pm	6	6	6	6	6	6	6
	5	5	5	5	5	5	5
	4	4	4	4	4	4	4
	3	3	3	3	3	3	3
	2	2	2	2	2	2	2
	1	1	1	1	1	1	1
	12	12	12	12	12	12	12
	11	11	11	11	11	11	11
	10	10	10	10	10	10	10
	9	9	9	9	9	9	9
am	8	8	8	8	8	8	8
	7	7	7	7	7	7	7
	6	6	6	6	6	6	6
	5	5	5	5	5	5	5
	4	4	4	4	4	4	4
	3	3	3	3	3	3	3
	2	2	2	2	2	2	2
	1	1	1	1	1	1	1
	12	12	12	12	12	12	12
	11	11	11	11	11	11	11
	10	10	10	10	10	10	10
	9	9	9	9	9	9	9
	8	8	8	8	8	8	8
pm	7	7	7	7	7	7	7
	Mon	Tue	Wed	Thu	Fri	Sat	Sun

My Gratitude Log

Acts Of Kindness Log

My Month In Review

My month in 3 words:

- ○
- ○
- ○

What went well?

- [ ]
- [ ]
- [ ]
- [ ]
- [ ]
- [ ]

Reasons to celebrate

- [ ]
- [ ]
- [ ]
- [ ]
- [ ]
- [ ]
- [ ]
- [ ]
- [ ]
- [ ]

Obstacles I overcame

- ○
- ○
- ○
- ○
- ○
- ○
- ○

Things I learned

- ○
- ○
- ○
- ○
- ○
- ○
- ○

My Mental Health

I will make an effort to look after my mental health because:

Things I know upset me

- ○ ____________________
- ○ ____________________
- ○ ____________________

Do these on a bad day

- ○ ____________________
- ○ ____________________
- ○ ____________________
- ○ ____________________
- ○ ____________________
- ○ ____________________
- ○ ____________________

Do these to keep calm

- ○ ____________________
- ○ ____________________
- ○ ____________________
- ○ ____________________
- ○ ____________________

These make me happy

- ○ ____________________
- ○ ____________________
- ○ ____________________
- ○ ____________________
- ○ ____________________

People to reach out to

- ○ ____________________
- ○ ____________________
- ○ ____________________
- ○ ____________________
- ○ ____________________
- ○ ____________________
- ○ ____________________

The Month Ahead

This Month:

My focus this month is: ______

Important Tasks

- [ ] ______
- [ ] ______
- [ ] ______
- [ ] ______
- [ ] ______
- [ ] ______
- [ ] ______
- [ ] ______

Key Dates

- ______
- ______
- ______
- ______
- ______

Must Remember

______

______

______

______

______

Week One

This week: ____________________

My Main Priorities

- ○ ____________________
- ○ ____________________
- ○ ____________________

My To-Do List

- ☐ ____________________
- ☐ ____________________
- ☐ ____________________
- ☐ ____________________
- ☐ ____________________
- ☐ ____________________
- ☐ ____________________
- ☐ ____________________
- ☐ ____________________

Habit Tracker

	M	T	W	T	F	S	S

Exercise

Mon	
Tue	
Wed	
Thu	
Fri	
Sat	
Sun	

Mood

1 2 3

4 5 6 7

Key

- Strong
- Happy
- Calm
- Fear
- Sad
- Mad

Energy

Energy Levels: 10, 9, 8, 7, 6, 5, 4, 3, 2, 1

Day: 1, 2, 3, 4, 5, 6, 7

Sleep

	pm												am										pm
Mon	7	8	9	10	11	12	1	2	3	4	5	6	7	8	9	10	11	12	1	2	3	4	5	6
Tue	7	8	9	10	11	12	1	2	3	4	5	6	7	8	9	10	11	12	1	2	3	4	5	6
Wed	7	8	9	10	11	12	1	2	3	4	5	6	7	8	9	10	11	12	1	2	3	4	5	6
Thu	7	8	9	10	11	12	1	2	3	4	5	6	7	8	9	10	11	12	1	2	3	4	5	6
Fri	7	8	9	10	11	12	1	2	3	4	5	6	7	8	9	10	11	12	1	2	3	4	5	6
Sat	7	8	9	10	11	12	1	2	3	4	5	6	7	8	9	10	11	12	1	2	3	4	5	6
Sun	7	8	9	10	11	12	1	2	3	4	5	6	7	8	9	10	11	12	1	2	3	4	5	6

Week Two

This week: ______________________

My Main Priorities

- ○ ______________________
- ○ ______________________
- ○ ______________________

My To-Do List

- ☐ ______________________
- ☐ ______________________
- ☐ ______________________
- ☐ ______________________
- ☐ ______________________
- ☐ ______________________
- ☐ ______________________
- ☐ ______________________
- ☐ ______________________

Habit Tracker

	M	T	W	T	F	S	S

Exercise

Mon	
Tue	
Wed	
Thu	
Fri	
Sat	
Sun	

Mood

1 2 3

4 5 6 7

Key

- Strong
- Happy
- Calm
- Fear
- Sad
- Mad

Energy

Energy Levels

10							
9							
8							
7							
6							
5							
4							
3							
2							
1							
	1	2	3	4	5	6	7

Day

Sleep

	pm						am																pm
Mon	7	8	9	10	11	12	1	2	3	4	5	6	7	8	9	10	11	12	1	2	3	4	5	6
Tue	7	8	9	10	11	12	1	2	3	4	5	6	7	8	9	10	11	12	1	2	3	4	5	6
Wed	7	8	9	10	11	12	1	2	3	4	5	6	7	8	9	10	11	12	1	2	3	4	5	6
Thu	7	8	9	10	11	12	1	2	3	4	5	6	7	8	9	10	11	12	1	2	3	4	5	6
Fri	7	8	9	10	11	12	1	2	3	4	5	6	7	8	9	10	11	12	1	2	3	4	5	6
Sat	7	8	9	10	11	12	1	2	3	4	5	6	7	8	9	10	11	12	1	2	3	4	5	6
Sun	7	8	9	10	11	12	1	2	3	4	5	6	7	8	9	10	11	12	1	2	3	4	5	6

Week Three

This week: ____________________

My Main Priorities

- ○ ____________________
- ○ ____________________
- ○ ____________________

My To-Do List

- ☐ ____________________
- ☐ ____________________
- ☐ ____________________
- ☐ ____________________
- ☐ ____________________
- ☐ ____________________
- ☐ ____________________
- ☐ ____________________
- ☐ ____________________

Habit Tracker

	M	T	W	T	F	S	S

Exercise

Mon	
Tue	
Wed	
Thu	
Fri	
Sat	
Sun	

Mood

1 2 3

4 5 6 7

Key

- Strong
- Fear
- Happy
- Sad
- Calm
- Mad

Energy

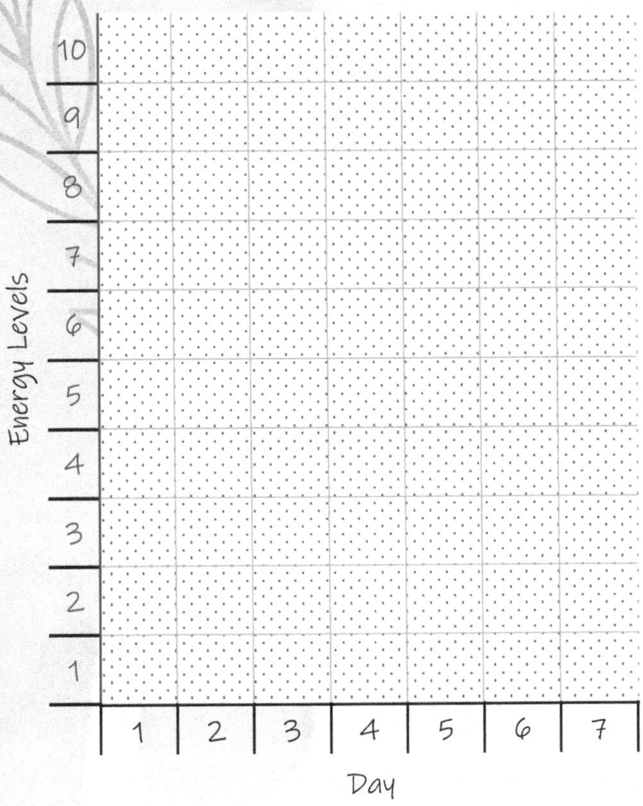

Sleep

	Mon	Tue	Wed	Thu	Fri	Sat	Sun
pm	6	6	6	6	6	6	6
	5	5	5	5	5	5	5
	4	4	4	4	4	4	4
	3	3	3	3	3	3	3
	2	2	2	2	2	2	2
	1	1	1	1	1	1	1
	12	12	12	12	12	12	12
	11	11	11	11	11	11	11
	10	10	10	10	10	10	10
	9	9	9	9	9	9	9
am	8	8	8	8	8	8	8
	7	7	7	7	7	7	7
	6	6	6	6	6	6	6
	5	5	5	5	5	5	5
	4	4	4	4	4	4	4
	3	3	3	3	3	3	3
	2	2	2	2	2	2	2
	1	1	1	1	1	1	1
	12	12	12	12	12	12	12
	11	11	11	11	11	11	11
	10	10	10	10	10	10	10
	9	9	9	9	9	9	9
	8	8	8	8	8	8	8
pm	7	7	7	7	7	7	7

Week Four

This week: ______________________

My Main Priorities

- ○ ______________________
- ○ ______________________
- ○ ______________________

My To-Do List

- ❑ ______________________
- ❑ ______________________
- ❑ ______________________
- ❑ ______________________
- ❑ ______________________
- ❑ ______________________
- ❑ ______________________
- ❑ ______________________
- ❑ ______________________

Habit Tracker

	M	T	W	T	F	S	S

Exercise

Mon	
Tue	
Wed	
Thu	
Fri	
Sat	
Sun	

Mood

1 2 3

4 5 6 7

Key

- Strong
- Happy
- Calm
- Fear
- Sad
- Mad

Energy

Energy Levels							
10							
9							
8							
7							
6							
5							
4							
3							
2							
1							
Day	1	2	3	4	5	6	7

Sleep

	Mon	Tue	Wed	Thu	Fri	Sat	Sun
pm	6	6	6	6	6	6	6
	5	5	5	5	5	5	5
	4	4	4	4	4	4	4
	3	3	3	3	3	3	3
	2	2	2	2	2	2	2
	1	1	1	1	1	1	1
	12	12	12	12	12	12	12
	11	11	11	11	11	11	11
	10	10	10	10	10	10	10
	9	9	9	9	9	9	9
	8	8	8	8	8	8	8
am	7	7	7	7	7	7	7
	6	6	6	6	6	6	6
	5	5	5	5	5	5	5
	4	4	4	4	4	4	4
	3	3	3	3	3	3	3
	2	2	2	2	2	2	2
	1	1	1	1	1	1	1
	12	12	12	12	12	12	12
	11	11	11	11	11	11	11
	10	10	10	10	10	10	10
	9	9	9	9	9	9	9
	8	8	8	8	8	8	8
pm	7	7	7	7	7	7	7

My Gratitude Log

Acts Of Kindness Log

My Month In Review

My month in 3 words:

- ○ ______
- ○ ______
- ○ ______

What went well?

- [ ] ______
- [ ] ______
- [ ] ______
- [ ] ______
- [ ] ______
- [ ] ______

Reasons to celebrate

- [ ] ______
- [ ] ______
- [ ] ______
- [ ] ______
- [ ] ______
- [ ] ______
- [ ] ______
- [ ] ______
- [ ] ______
- [ ] ______

Obstacles I overcame

- ○ ______
- ○ ______
- ○ ______
- ○ ______
- ○ ______
- ○ ______
- ○ ______

Things I learned

- ○ ______
- ○ ______
- ○ ______
- ○ ______
- ○ ______
- ○ ______
- ○ ______

Books, Podcasts & Ted Talks

My goal is to learn about:

Books To Read

- [ ]
- [ ]
- [ ]
- [ ]
- [ ]
- [ ]
- [ ]
- [ ]
- [ ]
- [ ]

Podcasts To Listen To

- [ ]
- [ ]
- [ ]
- [ ]
- [ ]
- [ ]
- [ ]
- [ ]
- [ ]
- [ ]

Ted Talks To Watch

- [ ]
- [ ]
- [ ]
- [ ]
- [ ]
- [ ]
- [ ]
- [ ]
- [ ]
- [ ]

My Self-Care Playlist

My top 5 favorite songs:

- ○ ______________________
- ○ ______________________
- ○ ______________________
- ○ ______________________
- ○ ______________________

Other music that helps me feel my emotions:

▷ ⏸ ______________________

▷ ⏸ ______________________

▷ ⏸ ______________________

▷ ⏸ ______________________

▷ ⏸ ______________________

▷ ⏸ ______________________

▷ ⏸ ______________________

▷ ⏸ ______________________

▷ ⏸ ______________________

▷ ⏸ ______________________

▷ ⏸ ______________________

▷ ⏸ ______________________

Bad Habits to Break

I want to break these bad habits because:

The habit: ______

What makes it bad: ______

What would happen if I kept doing it?: ______

How will I attempt to break it? ______

The habit: ______

What makes it bad: ______

What would happen if I kept doing it?: ______

How will I attempt to break it? ______

The habit: ______

What makes it bad: ______

What would happen if I kept doing it?: ______

How will I attempt to break it? ______

Positive Self Talk

I want to say these things to myself because:

- ○
- ○
- ○
- ○
- ○
- ○
- ○
- ○
- ○
- ○
- ○
- ○
- ○
- ○

Words To Live By

Prove them WRONG

STAY HUMBLE HUSTLE HARD

It's Just a bad day not a BAD LIFE

Ever tried. Ever failed. No matter. Try again. Fail again. Fail better.

Sometimes Happiness IS A FEELING Sometimes It's A Decision

if not now, then When?

Keep GOING, Keep GROWING.

THE SMARTER you get the less YOU SPEAK

ONE DAY OR DAY ONE IT'S YOUR DECISION

SAY YES to new ADVENTURES

THE MIND is everything WHAT YOU THINK you BECOME

Be the person YOU WANT to have in YOUR LIFE

The Month Ahead

This Month:

My focus this month is: ________

Important Tasks

- [ ] ________
- [ ] ________
- [ ] ________
- [ ] ________
- [ ] ________
- [ ] ________
- [ ] ________
- [ ] ________

Key Dates

- ○ ________
- ○ ________
- ○ ________
- ○ ________
- ○ ________

Must Remember

____

____

____

____

____

Week One

This week: ______________________

My Main Priorities

- ○ ______________________
- ○ ______________________
- ○ ______________________

My To-Do List

- ☐ ______________________
- ☐ ______________________
- ☐ ______________________
- ☐ ______________________
- ☐ ______________________
- ☐ ______________________
- ☐ ______________________
- ☐ ______________________
- ☐ ______________________

Habit Tracker

	M	T	W	T	F	S	S

Exercise

Mon	
Tue	
Wed	
Thu	
Fri	
Sat	
Sun	

Mood

1 2 3

4 5 6 7

Key

- Strong
- Happy
- Calm
- Fear
- Sad
- Mad

Energy

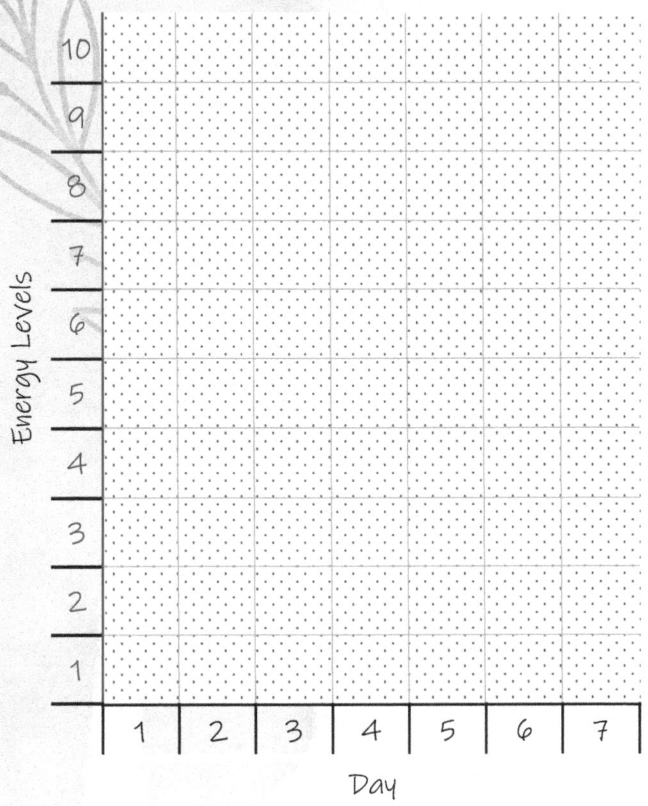

Sleep

	Mon	Tue	Wed	Thu	Fri	Sat	Sun
pm	7	7	7	7	7	7	7
	8	8	8	8	8	8	8
	9	9	9	9	9	9	9
	10	10	10	10	10	10	10
	11	11	11	11	11	11	11
	12	12	12	12	12	12	12
	1	1	1	1	1	1	1
	2	2	2	2	2	2	2
	3	3	3	3	3	3	3
	4	4	4	4	4	4	4
	5	5	5	5	5	5	5
	6	6	6	6	6	6	6
am	7	7	7	7	7	7	7
	8	8	8	8	8	8	8
	9	9	9	9	9	9	9
	10	10	10	10	10	10	10
	11	11	11	11	11	11	11
	12	12	12	12	12	12	12
	1	1	1	1	1	1	1
	2	2	2	2	2	2	2
	3	3	3	3	3	3	3
	4	4	4	4	4	4	4
pm	5	5	5	5	5	5	5
	6	6	6	6	6	6	6

Week Two

This week: ______________________

My Main Priorities

- ○ ______________________
- ○ ______________________
- ○ ______________________

My To-Do List

- [ ] ______________________
- [ ] ______________________
- [ ] ______________________
- [ ] ______________________
- [ ] ______________________
- [ ] ______________________
- [ ] ______________________
- [ ] ______________________
- [ ] ______________________

Habit Tracker

	M	T	W	T	F	S	S

Exercise

Mon	
Tue	
Wed	
Thu	
Fri	
Sat	
Sun	

Mood

1 2 3

4 5 6 7

Key

Strong	Fear
Happy	Sad
Calm	Mad

Energy

Energy Levels

10
9
8
7
6
5
4
3
2
1

1 2 3 4 5 6 7

Day

Sleep

	Mon	Tue	Wed	Thu	Fri	Sat	Sun
pm	6	6	6	6	6	6	6
	5	5	5	5	5	5	5
	4	4	4	4	4	4	4
	3	3	3	3	3	3	3
	2	2	2	2	2	2	2
	1	1	1	1	1	1	1
	12	12	12	12	12	12	12
	11	11	11	11	11	11	11
	10	10	10	10	10	10	10
	9	9	9	9	9	9	9
am	8	8	8	8	8	8	8
	7	7	7	7	7	7	7
	6	6	6	6	6	6	6
	5	5	5	5	5	5	5
	4	4	4	4	4	4	4
	3	3	3	3	3	3	3
	2	2	2	2	2	2	2
	1	1	1	1	1	1	1
	12	12	12	12	12	12	12
	11	11	11	11	11	11	11
	10	10	10	10	10	10	10
	9	9	9	9	9	9	9
pm	8	8	8	8	8	8	8
	7	7	7	7	7	7	7

Week Three

This week: ____________________

My Main Priorities

- ○ ____________________
- ○ ____________________
- ○ ____________________

My To-Do List

- ☐ ____________________
- ☐ ____________________
- ☐ ____________________
- ☐ ____________________
- ☐ ____________________
- ☐ ____________________
- ☐ ____________________
- ☐ ____________________
- ☐ ____________________

Habit Tracker

	M	T	W	T	F	S	S

Exercise

Mon	
Tue	
Wed	
Thu	
Fri	
Sat	
Sun	

Mood

1 2 3

4 5 6 7

Key

- Strong
- Fear
- Happy
- Sad
- Calm
- Mad

Energy

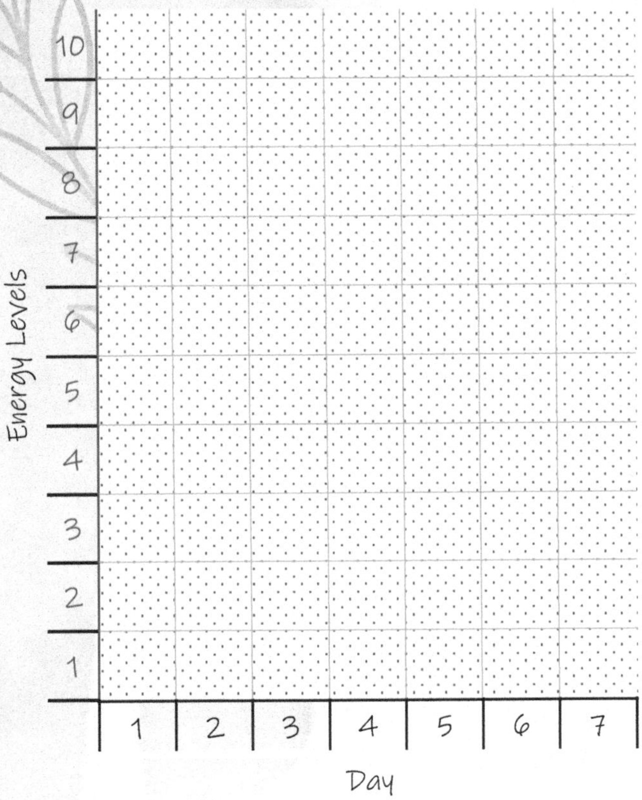

Sleep

pm	6	6	6	6	6	6	6
	5	5	5	5	5	5	5
	4	4	4	4	4	4	4
	3	3	3	3	3	3	3
	2	2	2	2	2	2	2
	1	1	1	1	1	1	1
	12	12	12	12	12	12	12
	11	11	11	11	11	11	11
	10	10	10	10	10	10	10
	9	9	9	9	9	9	9
am	8	8	8	8	8	8	8
	7	7	7	7	7	7	7
	6	6	6	6	6	6	6
	5	5	5	5	5	5	5
	4	4	4	4	4	4	4
	3	3	3	3	3	3	3
	2	2	2	2	2	2	2
	1	1	1	1	1	1	1
	12	12	12	12	12	12	12
	11	11	11	11	11	11	11
	10	10	10	10	10	10	10
	9	9	9	9	9	9	9
	8	8	8	8	8	8	8
pm	7	7	7	7	7	7	7
	Mon	Tue	Wed	Thu	Fri	Sat	Sun

Week Four

This week: ____________________

My Main Priorities

- ○ ____________________
- ○ ____________________
- ○ ____________________

My To-Do List

- ☐ ____________________
- ☐ ____________________
- ☐ ____________________
- ☐ ____________________
- ☐ ____________________
- ☐ ____________________
- ☐ ____________________
- ☐ ____________________
- ☐ ____________________

Habit Tracker

	M	T	W	T	F	S	S

Exercise

Mon	
Tue	
Wed	
Thu	
Fri	
Sat	
Sun	

Mood

1 2 3

4 5 6 7

Key

- Strong
- Happy
- Calm
- Fear
- Sad
- Mad

Energy

Energy Levels: 10, 9, 8, 7, 6, 5, 4, 3, 2, 1

Day: 1, 2, 3, 4, 5, 6, 7

Sleep

	Mon	Tue	Wed	Thu	Fri	Sat	Sun
pm	7	7	7	7	7	7	7
	8	8	8	8	8	8	8
	9	9	9	9	9	9	9
	10	10	10	10	10	10	10
	11	11	11	11	11	11	11
	12	12	12	12	12	12	12
	1	1	1	1	1	1	1
	2	2	2	2	2	2	2
	3	3	3	3	3	3	3
	4	4	4	4	4	4	4
	5	5	5	5	5	5	5
	6	6	6	6	6	6	6
am	7	7	7	7	7	7	7
	8	8	8	8	8	8	8
	9	9	9	9	9	9	9
	10	10	10	10	10	10	10
	11	11	11	11	11	11	11
	12	12	12	12	12	12	12
	1	1	1	1	1	1	1
	2	2	2	2	2	2	2
	3	3	3	3	3	3	3
	4	4	4	4	4	4	4
	5	5	5	5	5	5	5
pm	6	6	6	6	6	6	6

My Gratitude Log

Acts Of Kindness Log

My Month In Review

My month in 3 words:

- ○ ____
- ○ ____
- ○ ____

What went well?

- ☐ ____
- ☐ ____
- ☐ ____
- ☐ ____
- ☐ ____
- ☐ ____

Reasons to celebrate

- ☐ ____
- ☐ ____
- ☐ ____
- ☐ ____
- ☐ ____
- ☐ ____
- ☐ ____
- ☐ ____
- ☐ ____
- ☐ ____

Obstacles I overcame

- ○ ____
- ○ ____
- ○ ____
- ○ ____
- ○ ____
- ○ ____
- ○ ____

Things I learned

- ○ ____
- ○ ____
- ○ ____
- ○ ____
- ○ ____
- ○ ____
- ○ ____

Words To Live By

There is only ONE THING that makes a dream IMPOSSIBLE TO ACHIEVE: The fear of failure

THE SUN WILL RISE AGAIN

STARS can't shine WITHOUT DARKNESS

MISTAKES are proof that YOU ARE TRYING

DON'T quit your Daydream

WHATEVER YOU ARE BE A GOOD ONE

PROVE them WRONG

You matter the most

THE BEST WAY OUT IS ALWAYS THROUGH

We Rise By Lifting OTHERS

The Month Ahead

This Month:
My focus this month is: ____________________

Important Tasks

- [ ] ____________________
- [ ] ____________________
- [ ] ____________________
- [ ] ____________________
- [ ] ____________________
- [ ] ____________________
- [ ] ____________________
- [ ] ____________________

Key Dates

- ____________________
- ____________________
- ____________________
- ____________________
- ____________________

Must Remember

Week One

This week: ___________________

My Main Priorities

- ○ ______________________
- ○ ______________________
- ○ ______________________

My To-Do List

- ☐ ______________________
- ☐ ______________________
- ☐ ______________________
- ☐ ______________________
- ☐ ______________________
- ☐ ______________________
- ☐ ______________________
- ☐ ______________________
- ☐ ______________________

Habit Tracker

	M	T	W	T	F	S	S

Exercise

Mon	
Tue	
Wed	
Thu	
Fri	
Sat	
Sun	

Mood

1 2 3

4 5 6 7

Key

Strong	Fear
Happy	Sad
Calm	Mad

Energy

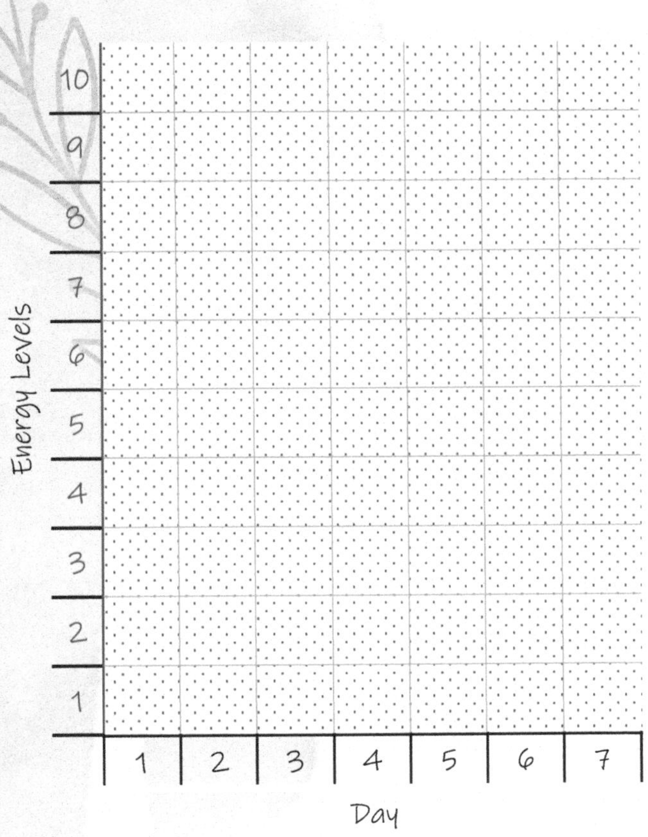

Sleep

	pm 7	8	9	10	11	12	1	2	3	4	5	6	am 7	8	9	10	11	12	1	2	3	4	5	pm 6
Mon	7	8	9	10	11	12	1	2	3	4	5	6	7	8	9	10	11	12	1	2	3	4	5	6
Tue	7	8	9	10	11	12	1	2	3	4	5	6	7	8	9	10	11	12	1	2	3	4	5	6
Wed	7	8	9	10	11	12	1	2	3	4	5	6	7	8	9	10	11	12	1	2	3	4	5	6
Thu	7	8	9	10	11	12	1	2	3	4	5	6	7	8	9	10	11	12	1	2	3	4	5	6
Fri	7	8	9	10	11	12	1	2	3	4	5	6	7	8	9	10	11	12	1	2	3	4	5	6
Sat	7	8	9	10	11	12	1	2	3	4	5	6	7	8	9	10	11	12	1	2	3	4	5	6
Sun	7	8	9	10	11	12	1	2	3	4	5	6	7	8	9	10	11	12	1	2	3	4	5	6

Week Two

This week: ______________________

My Main Priorities

- ○ ______________________
- ○ ______________________
- ○ ______________________

My To-Do List

- [ ] ______________________
- [ ] ______________________
- [ ] ______________________
- [ ] ______________________
- [ ] ______________________
- [ ] ______________________
- [ ] ______________________
- [ ] ______________________
- [ ] ______________________

Habit Tracker

	M	T	W	T	F	S	S

Exercise

Mon	
Tue	
Wed	
Thu	
Fri	
Sat	
Sun	

Mood

1 2 3

4 5 6 7

Key

- Strong
- Happy
- Calm
- Fear
- Sad
- Mad

Energy

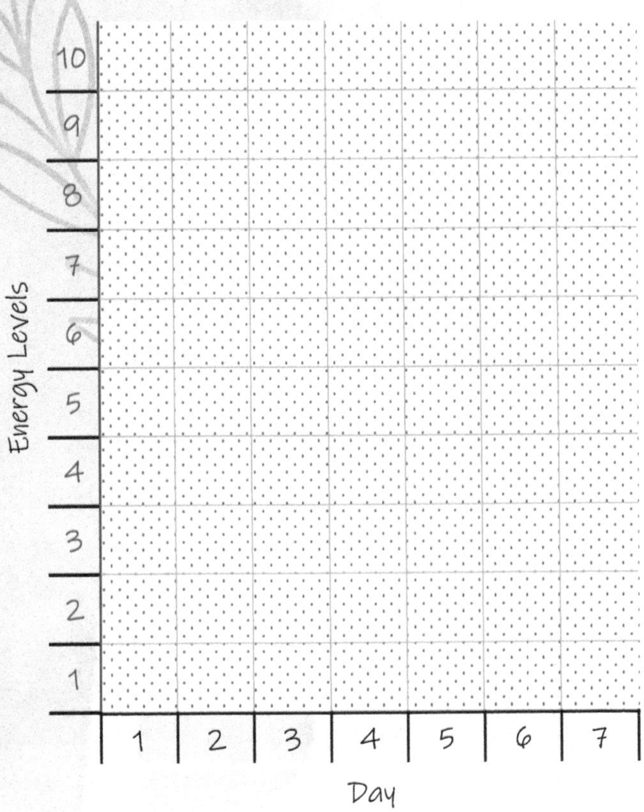

Sleep

	pm											am											pm
Mon	7	8	9	10	11	12	1	2	3	4	5	6	7	8	9	10	11	12	1	2	3	4	5	6
Tue	7	8	9	10	11	12	1	2	3	4	5	6	7	8	9	10	11	12	1	2	3	4	5	6
Wed	7	8	9	10	11	12	1	2	3	4	5	6	7	8	9	10	11	12	1	2	3	4	5	6
Thu	7	8	9	10	11	12	1	2	3	4	5	6	7	8	9	10	11	12	1	2	3	4	5	6
Fri	7	8	9	10	11	12	1	2	3	4	5	6	7	8	9	10	11	12	1	2	3	4	5	6
Sat	7	8	9	10	11	12	1	2	3	4	5	6	7	8	9	10	11	12	1	2	3	4	5	6
Sun	7	8	9	10	11	12	1	2	3	4	5	6	7	8	9	10	11	12	1	2	3	4	5	6

Week Three

This week: ______________________

My Main Priorities

- ○ ______________________
- ○ ______________________
- ○ ______________________

My To-Do List

- ☐ ______________________
- ☐ ______________________
- ☐ ______________________
- ☐ ______________________
- ☐ ______________________
- ☐ ______________________
- ☐ ______________________
- ☐ ______________________
- ☐ ______________________

Habit Tracker

	M	T	W	T	F	S	S

Exercise

Mon	
Tue	
Wed	
Thu	
Fri	
Sat	
Sun	

Mood

1 2 3

4 5 6 7

Key

- Strong
- Fear
- Happy
- Sad
- Calm
- Mad

Energy

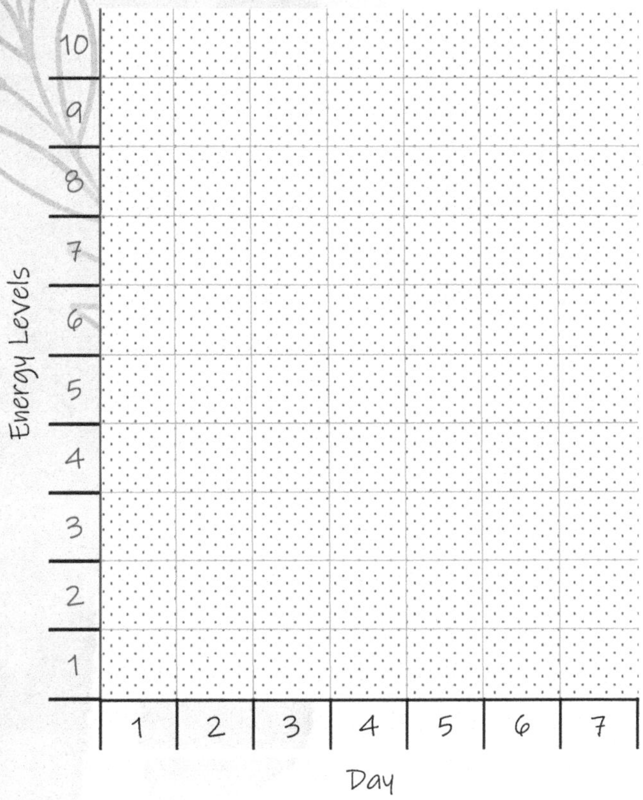

Sleep

pm	6	6	6	6	6	6	6
	5	5	5	5	5	5	5
	4	4	4	4	4	4	4
	3	3	3	3	3	3	3
	2	2	2	2	2	2	2
	1	1	1	1	1	1	1
	12	12	12	12	12	12	12
	11	11	11	11	11	11	11
	10	10	10	10	10	10	10
	9	9	9	9	9	9	9
am	8	8	8	8	8	8	8
	7	7	7	7	7	7	7
	6	6	6	6	6	6	6
	5	5	5	5	5	5	5
	4	4	4	4	4	4	4
	3	3	3	3	3	3	3
	2	2	2	2	2	2	2
	1	1	1	1	1	1	1
	12	12	12	12	12	12	12
	11	11	11	11	11	11	11
	10	10	10	10	10	10	10
	9	9	9	9	9	9	9
	8	8	8	8	8	8	8
pm	7	7	7	7	7	7	7
	Mon	Tue	Wed	Thu	Fri	Sat	Sun

Week Four

This week: ____________________

My Main Priorities

- ○ ____________________
- ○ ____________________
- ○ ____________________

My To-Do List

- ☐ ____________________
- ☐ ____________________
- ☐ ____________________
- ☐ ____________________
- ☐ ____________________
- ☐ ____________________
- ☐ ____________________
- ☐ ____________________
- ☐ ____________________

Habit Tracker

	M	T	W	T	F	S	S

Exercise

Mon	
Tue	
Wed	
Thu	
Fri	
Sat	
Sun	

Mood

1 2 3

4 5 6 7

Key

- Strong
- Happy
- Calm
- Fear
- Sad
- Mad

Energy

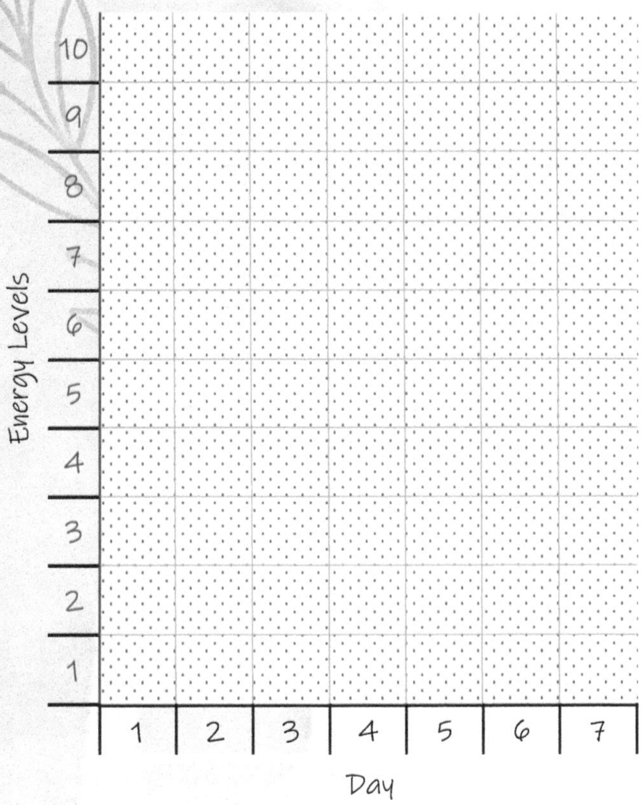

Sleep

pm	6	6	6	6	6	6	6
	5	5	5	5	5	5	5
	4	4	4	4	4	4	4
	3	3	3	3	3	3	3
	2	2	2	2	2	2	2
	1	1	1	1	1	1	1
	12	12	12	12	12	12	12
	11	11	11	11	11	11	11
	10	10	10	10	10	10	10
	9	9	9	9	9	9	9
am	8	8	8	8	8	8	8
	7	7	7	7	7	7	7
	6	6	6	6	6	6	6
	5	5	5	5	5	5	5
	4	4	4	4	4	4	4
	3	3	3	3	3	3	3
	2	2	2	2	2	2	2
	1	1	1	1	1	1	1
	12	12	12	12	12	12	12
	11	11	11	11	11	11	11
	10	10	10	10	10	10	10
	9	9	9	9	9	9	9
pm	8	8	8	8	8	8	8
	7	7	7	7	7	7	7
	Mon	Tue	Wed	Thu	Fri	Sat	Sun

My Gratitude Log

- ○ ______
- ○ ______
- ○ ______
- ○ ______
- ○ ______
- ○ ______
- ○ ______
- ○ ______
- ○ ______
- ○ ______
- ○ ______
- ○ ______
- ○ ______
- ○ ______
- ○ ______
- ○ ______
- ○ ______
- ○ ______
- ○ ______
- ○ ______
- ○ ______
- ○ ______
- ○ ______
- ○ ______
- ○ ______
- ○ ______

Acts Of Kindness Log

- ○ ______
- ○ ______
- ○ ______
- ○ ______
- ○ ______
- ○ ______
- ○ ______
- ○ ______
- ○ ______
- ○ ______
- ○ ______
- ○ ______
- ○ ______
- ○ ______
- ○ ______
- ○ ______

My Month In Review

My month in 3 words:

- ○
- ○
- ○

What went well?

- [ ]
- [ ]
- [ ]
- [ ]
- [ ]
- [ ]

Reasons to celebrate

- [ ]
- [ ]
- [ ]
- [ ]
- [ ]
- [ ]
- [ ]
- [ ]
- [ ]
- [ ]

Obstacles I overcame

- ○
- ○
- ○
- ○
- ○
- ○
- ○

Things I learned

- ○
- ○
- ○
- ○
- ○
- ○
- ○

My Mental Health

I will make an effort to look after my mental health because:

Things I know upset me

- ○ ______
- ○ ______
- ○ ______

Do these on a bad day

- ○ ______
- ○ ______
- ○ ______
- ○ ______
- ○ ______
- ○ ______
- ○ ______

Do these to keep calm

- ○ ______
- ○ ______
- ○ ______
- ○ ______
- ○ ______

These make me happy

- ○ ______
- ○ ______
- ○ ______
- ○ ______
- ○ ______

People to reach out to

- ○ ______
- ○ ______
- ○ ______
- ○ ______
- ○ ______
- ○ ______
- ○ ______

The Month Ahead

This Month:
My focus this month is:

Important Tasks

- [ ]
- [ ]
- [ ]
- [ ]
- [ ]
- [ ]
- [ ]
- [ ]

Key Dates

Must Remember

Week One

This week: ____________________

My Main Priorities

- ○ ____________________
- ○ ____________________
- ○ ____________________

My To-Do List

- ☐ ____________________
- ☐ ____________________
- ☐ ____________________
- ☐ ____________________
- ☐ ____________________
- ☐ ____________________
- ☐ ____________________
- ☐ ____________________
- ☐ ____________________

Habit Tracker

	M	T	W	T	F	S	S

Exercise

Mon	
Tue	
Wed	
Thu	
Fri	
Sat	
Sun	

Mood

1 2 3

4 5 6 7

Key

- Strong
- Happy
- Calm
- Fear
- Sad
- Mad

Energy

Energy Levels: 10, 9, 8, 7, 6, 5, 4, 3, 2, 1

Day: 1, 2, 3, 4, 5, 6, 7

Sleep

	Mon	Tue	Wed	Thu	Fri	Sat	Sun
pm	7	7	7	7	7	7	7
	8	8	8	8	8	8	8
	9	9	9	9	9	9	9
	10	10	10	10	10	10	10
	11	11	11	11	11	11	11
	12	12	12	12	12	12	12
	1	1	1	1	1	1	1
	2	2	2	2	2	2	2
	3	3	3	3	3	3	3
	4	4	4	4	4	4	4
	5	5	5	5	5	5	5
	6	6	6	6	6	6	6
	7	7	7	7	7	7	7
am	8	8	8	8	8	8	8
	9	9	9	9	9	9	9
	10	10	10	10	10	10	10
	11	11	11	11	11	11	11
	12	12	12	12	12	12	12
	1	1	1	1	1	1	1
	2	2	2	2	2	2	2
	3	3	3	3	3	3	3
	4	4	4	4	4	4	4
pm	5	5	5	5	5	5	5
	6	6	6	6	6	6	6

Week Two

This week: ____________________

My Main Priorities

- ○ ____________________
- ○ ____________________
- ○ ____________________

My To-Do List

- [ ] ____________________
- [ ] ____________________
- [ ] ____________________
- [ ] ____________________
- [ ] ____________________
- [ ] ____________________
- [ ] ____________________
- [ ] ____________________
- [ ] ____________________

Habit Tracker

	M	T	W	T	F	S	S

Exercise

Mon	
Tue	
Wed	
Thu	
Fri	
Sat	
Sun	

Mood

1 2 3

4 5 6 7

Key

- Strong
- Happy
- Calm
- Fear
- Sad
- Mad

Energy

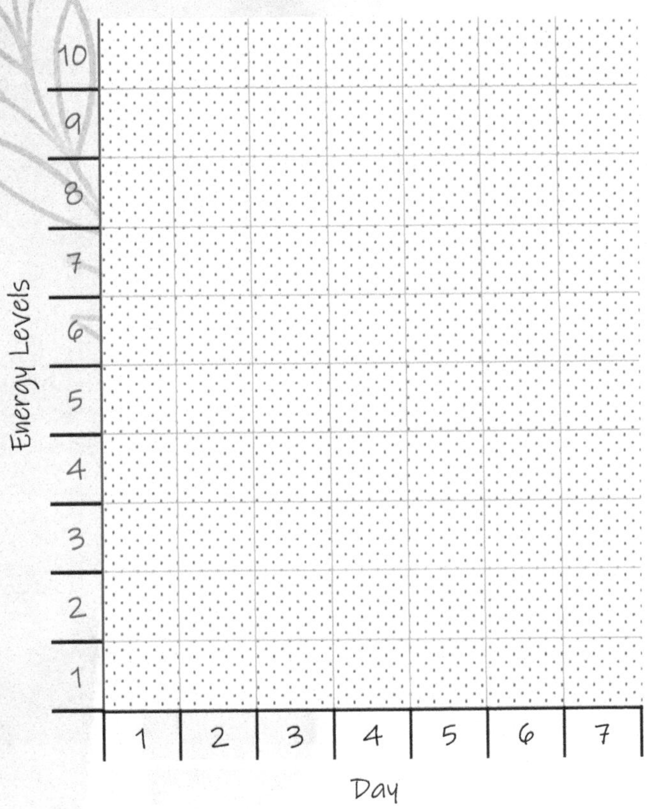

Sleep

		Mon	Tue	Wed	Thu	Fri	Sat	Sun
pm	7	7	7	7	7	7	7	7
	8	8	8	8	8	8	8	8
	9	9	9	9	9	9	9	9
	10	10	10	10	10	10	10	10
	11	11	11	11	11	11	11	11
	12	12	12	12	12	12	12	12
	1	1	1	1	1	1	1	1
	2	2	2	2	2	2	2	2
	3	3	3	3	3	3	3	3
	4	4	4	4	4	4	4	4
	5	5	5	5	5	5	5	5
	6	6	6	6	6	6	6	6
am	7	7	7	7	7	7	7	7
	8	8	8	8	8	8	8	8
	9	9	9	9	9	9	9	9
	10	10	10	10	10	10	10	10
	11	11	11	11	11	11	11	11
	12	12	12	12	12	12	12	12
	1	1	1	1	1	1	1	1
	2	2	2	2	2	2	2	2
	3	3	3	3	3	3	3	3
	4	4	4	4	4	4	4	4
	5	5	5	5	5	5	5	5
pm	6	6	6	6	6	6	6	6

Week Three

This week: ____________________

My Main Priorities

- ○ ____________________
- ○ ____________________
- ○ ____________________

My To-Do List

- ☐ ____________________
- ☐ ____________________
- ☐ ____________________
- ☐ ____________________
- ☐ ____________________
- ☐ ____________________
- ☐ ____________________
- ☐ ____________________
- ☐ ____________________

Habit Tracker

	M	T	W	T	F	S	S

Exercise

Mon	
Tue	
Wed	
Thu	
Fri	
Sat	
Sun	

Mood

1 2 3

4 5 6 7

Key

- Strong
- Fear
- Happy
- Sad
- Calm
- Mad

Energy

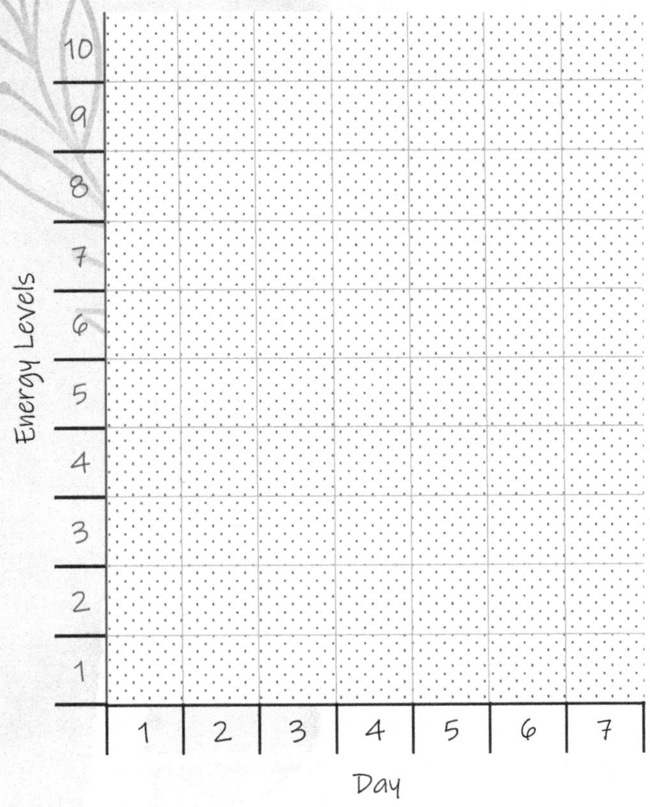

Sleep

	Mon	Tue	Wed	Thu	Fri	Sat	Sun
pm 6	6	6	6	6	6	6	6
5	5	5	5	5	5	5	5
4	4	4	4	4	4	4	4
3	3	3	3	3	3	3	3
2	2	2	2	2	2	2	2
1	1	1	1	1	1	1	1
12	12	12	12	12	12	12	12
11	11	11	11	11	11	11	11
10	10	10	10	10	10	10	10
9	9	9	9	9	9	9	9
am 8	8	8	8	8	8	8	8
7	7	7	7	7	7	7	7
6	6	6	6	6	6	6	6
5	5	5	5	5	5	5	5
4	4	4	4	4	4	4	4
3	3	3	3	3	3	3	3
2	2	2	2	2	2	2	2
1	1	1	1	1	1	1	1
12	12	12	12	12	12	12	12
11	11	11	11	11	11	11	11
10	10	10	10	10	10	10	10
9	9	9	9	9	9	9	9
8	8	8	8	8	8	8	8
pm 7	7	7	7	7	7	7	7

Week Four

This week: ______________________

My Main Priorities

- ○ ______________________
- ○ ______________________
- ○ ______________________

My To-Do List

- [ ] ______________________
- [ ] ______________________
- [ ] ______________________
- [ ] ______________________
- [ ] ______________________
- [ ] ______________________
- [ ] ______________________
- [ ] ______________________
- [ ] ______________________

Habit Tracker

	M	T	W	T	F	S	S

Exercise

Mon	
Tue	
Wed	
Thu	
Fri	
Sat	
Sun	

Mood

1 2 3

4 5 6 7

Key

- Strong
- Happy
- Calm
- Fear
- Sad
- Mad

Energy

Energy Levels

	1	2	3	4	5	6	7
10							
9							
8							
7							
6							
5							
4							
3							
2							
1							

Day

Sleep

	pm 7	8	9	10	11	12	1	2	3	4	5	6	am 7	8	9	10	11	12	1	2	3	4	5	pm 6
Mon	7	8	9	10	11	12	1	2	3	4	5	6	7	8	9	10	11	12	1	2	3	4	5	6
Tue	7	8	9	10	11	12	1	2	3	4	5	6	7	8	9	10	11	12	1	2	3	4	5	6
Wed	7	8	9	10	11	12	1	2	3	4	5	6	7	8	9	10	11	12	1	2	3	4	5	6
Thu	7	8	9	10	11	12	1	2	3	4	5	6	7	8	9	10	11	12	1	2	3	4	5	6
Fri	7	8	9	10	11	12	1	2	3	4	5	6	7	8	9	10	11	12	1	2	3	4	5	6
Sat	7	8	9	10	11	12	1	2	3	4	5	6	7	8	9	10	11	12	1	2	3	4	5	6
Sun	7	8	9	10	11	12	1	2	3	4	5	6	7	8	9	10	11	12	1	2	3	4	5	6

My Gratitude Log

- ○ ______________________
- ○ ______________________
- ○ ______________________
- ○ ______________________
- ○ ______________________
- ○ ______________________
- ○ ______________________
- ○ ______________________
- ○ ______________________
- ○ ______________________
- ○ ______________________
- ○ ______________________
- ○ ______________________
- ○ ______________________
- ○ ______________________
- ○ ______________________
- ○ ______________________
- ○ ______________________
- ○ ______________________
- ○ ______________________
- ○ ______________________
- ○ ______________________
- ○ ______________________
- ○ ______________________
- ○ ______________________
- ○ ______________________

Acts Of Kindness Log

- ○ ______________________
- ○ ______________________
- ○ ______________________
- ○ ______________________
- ○ ______________________
- ○ ______________________
- ○ ______________________
- ○ ______________________
- ○ ______________________
- ○ ______________________
- ○ ______________________
- ○ ______________________
- ○ ______________________
- ○ ______________________
- ○ ______________________
- ○ ______________________

My Month In Review

My month in 3 words:

- ○ ______
- ○ ______
- ○ ______

What went well?

- ☐ ______
- ☐ ______
- ☐ ______
- ☐ ______
- ☐ ______
- ☐ ______

Reasons to celebrate

- ☐ ______
- ☐ ______
- ☐ ______
- ☐ ______
- ☐ ______
- ☐ ______
- ☐ ______
- ☐ ______
- ☐ ______
- ☐ ______

Obstacles I overcame

- ○ ______
- ○ ______
- ○ ______
- ○ ______
- ○ ______
- ○ ______
- ○ ______

Things I learned

- ○ ______
- ○ ______
- ○ ______
- ○ ______
- ○ ______
- ○ ______
- ○ ______

Books, Podcasts & Ted Talks

My goal is to learn about:

Books To Read

- [ ] ______________________
- [ ] ______________________
- [ ] ______________________
- [ ] ______________________
- [ ] ______________________
- [ ] ______________________
- [ ] ______________________
- [ ] ______________________
- [ ] ______________________
- [ ] ______________________

Podcasts To Listen To

- [ ] ______________________
- [ ] ______________________
- [ ] ______________________
- [ ] ______________________
- [ ] ______________________
- [ ] ______________________
- [ ] ______________________
- [ ] ______________________
- [ ] ______________________
- [ ] ______________________

Ted Talks To Watch

- [ ] ______________________
- [ ] ______________________
- [ ] ______________________
- [ ] ______________________
- [ ] ______________________
- [ ] ______________________
- [ ] ______________________
- [ ] ______________________
- [ ] ______________________
- [ ] ______________________

My Self-Care Playlist

My top 5 favorite songs:

- ○ ___
- ○ ___
- ○ ___
- ○ ___
- ○ ___

Other music that helps me feel my emotions:

▷ ❚❚ ___

▷ ❚❚ ___

▷ ❚❚ ___

▷ ❚❚ ___

▷ ❚❚ ___

▷ ❚❚ ___

▷ ❚❚ ___

▷ ❚❚ ___

▷ ❚❚ ___

▷ ❚❚ ___

▷ ❚❚ ___

▷ ❚❚ ___

Bad Habits to Break

I want to break these bad habits because:

The habit:
What makes it bad:
What would happen if I kept doing it?:

How will I attempt to break it?

The habit:
What makes it bad:
What would happen if I kept doing it?:

How will I attempt to break it?

The habit:
What makes it bad:
What would happen if I kept doing it?:

How will I attempt to break it?

Positive Self Talk

I want to say these things to myself because:

- ○
- ○
- ○
- ○
- ○
- ○
- ○
- ○
- ○
- ○
- ○
- ○
- ○
- ○

Words To Live By

make TODAY AMAZING

be STRONGER THAN YOUR excuses

IT WILL NEVER BE PERFECT MAKE IT WORK

TURN I WISH -INTO- I will

MAKE MORE MOVES and less ANNOUNCEMENTS

THINK HAPPY thoughts

BROKEN CRAYONS still Color

Never GIVE UP WITHOUT A FIGHT

The only Person YOU SHOULD TRY TO BE BETTER THAN IS THE PERSON YOU WERE Yesterday

DON'T count THE DAYS. MAKE the days COUNT

i can and i will

CREATE THE LIFE YOU CAN'T wait -to- WAKE UP TO

The past is in YOUR HEAD The future is in YOUR HANDS

I CAN AND I WILL WATCH ME

The Month Ahead

This Month:
My focus this month is:

Important Tasks

- [ ]
- [ ]
- [ ]
- [ ]
- [ ]
- [ ]
- [ ]
- [ ]

Key Dates

Must Remember

Week One

This week: ______________________

My Main Priorities

- ○ ______________________
- ○ ______________________
- ○ ______________________

My To-Do List

- [ ] ______________________
- [ ] ______________________
- [ ] ______________________
- [ ] ______________________
- [ ] ______________________
- [ ] ______________________
- [ ] ______________________
- [ ] ______________________
- [ ] ______________________

Habit Tracker

	M	T	W	T	F	S	S

Exercise

Mon	
Tue	
Wed	
Thu	
Fri	
Sat	
Sun	

Mood

1 2 3

4 5 6 7

Key

- Strong
- Happy
- Calm
- Fear
- Sad
- Mad

Energy

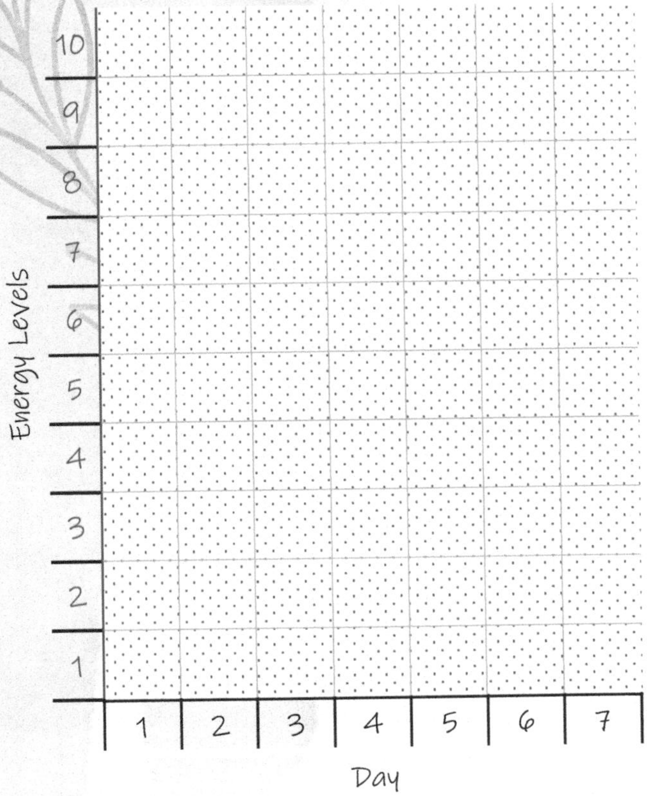

Sleep

	pm											am											pm
Mon	7	8	9	10	11	12	1	2	3	4	5	6	7	8	9	10	11	12	1	2	3	4	5	6
Tue	7	8	9	10	11	12	1	2	3	4	5	6	7	8	9	10	11	12	1	2	3	4	5	6
Wed	7	8	9	10	11	12	1	2	3	4	5	6	7	8	9	10	11	12	1	2	3	4	5	6
Thu	7	8	9	10	11	12	1	2	3	4	5	6	7	8	9	10	11	12	1	2	3	4	5	6
Fri	7	8	9	10	11	12	1	2	3	4	5	6	7	8	9	10	11	12	1	2	3	4	5	6
Sat	7	8	9	10	11	12	1	2	3	4	5	6	7	8	9	10	11	12	1	2	3	4	5	6
Sun	7	8	9	10	11	12	1	2	3	4	5	6	7	8	9	10	11	12	1	2	3	4	5	6

Week Two

This week: ____________________

My Main Priorities

- ○ ____________________
- ○ ____________________
- ○ ____________________

My To-Do List

- [ ] ____________________
- [ ] ____________________
- [ ] ____________________
- [ ] ____________________
- [ ] ____________________
- [ ] ____________________
- [ ] ____________________
- [ ] ____________________
- [ ] ____________________

Habit Tracker

	M	T	W	T	F	S	S

Exercise

Mon	
Tue	
Wed	
Thu	
Fri	
Sat	
Sun	

Mood

1 2 3

4 5 6 7

Key

- Strong
- Fear
- Happy
- Sad
- Calm
- Mad

Energy

Energy Levels: 10, 9, 8, 7, 6, 5, 4, 3, 2, 1

Day: 1, 2, 3, 4, 5, 6, 7

Sleep

	pm						am																	pm
Mon	7	8	9	10	11	12	1	2	3	4	5	6	7	8	9	10	11	12	1	2	3	4	5	6
Tue	7	8	9	10	11	12	1	2	3	4	5	6	7	8	9	10	11	12	1	2	3	4	5	6
Wed	7	8	9	10	11	12	1	2	3	4	5	6	7	8	9	10	11	12	1	2	3	4	5	6
Thu	7	8	9	10	11	12	1	2	3	4	5	6	7	8	9	10	11	12	1	2	3	4	5	6
Fri	7	8	9	10	11	12	1	2	3	4	5	6	7	8	9	10	11	12	1	2	3	4	5	6
Sat	7	8	9	10	11	12	1	2	3	4	5	6	7	8	9	10	11	12	1	2	3	4	5	6
Sun	7	8	9	10	11	12	1	2	3	4	5	6	7	8	9	10	11	12	1	2	3	4	5	6

Week Three

This week: ______________________

My Main Priorities

- ○ ______________________
- ○ ______________________
- ○ ______________________

My To-Do List

- ☐ ______________________
- ☐ ______________________
- ☐ ______________________
- ☐ ______________________
- ☐ ______________________
- ☐ ______________________
- ☐ ______________________
- ☐ ______________________
- ☐ ______________________

Habit Tracker

	M	T	W	T	F	S	S

Exercise

Mon	
Tue	
Wed	
Thu	
Fri	
Sat	
Sun	

Mood

1 2 3

4 5 6 7

Key

- Strong
- Happy
- Calm
- Fear
- Sad
- Mad

Energy

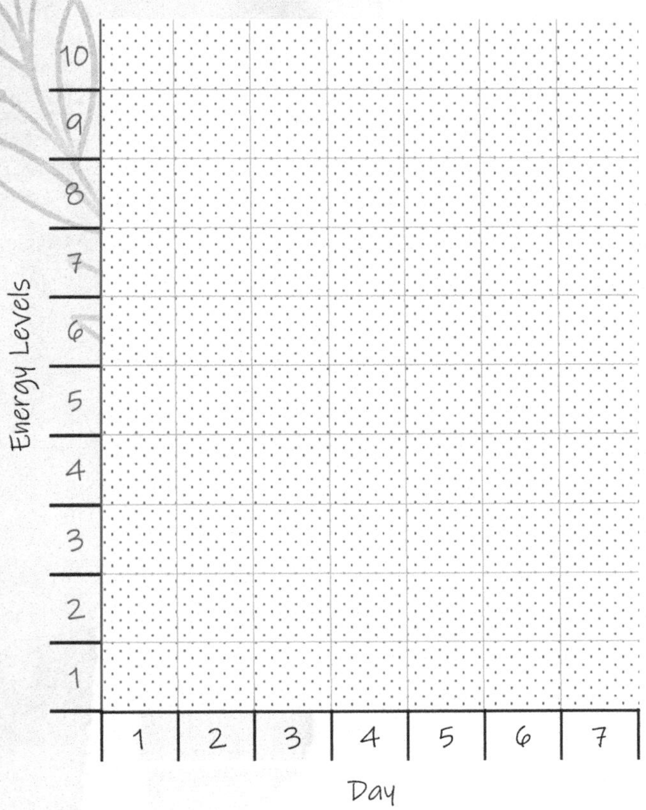

Sleep

	Mon	Tue	Wed	Thu	Fri	Sat	Sun
pm 6	6	6	6	6	6	6	6
5	5	5	5	5	5	5	5
4	4	4	4	4	4	4	4
3	3	3	3	3	3	3	3
2	2	2	2	2	2	2	2
1	1	1	1	1	1	1	1
12	12	12	12	12	12	12	12
11	11	11	11	11	11	11	11
10	10	10	10	10	10	10	10
9	9	9	9	9	9	9	9
am 8	8	8	8	8	8	8	8
7	7	7	7	7	7	7	7
6	6	6	6	6	6	6	6
5	5	5	5	5	5	5	5
4	4	4	4	4	4	4	4
3	3	3	3	3	3	3	3
2	2	2	2	2	2	2	2
1	1	1	1	1	1	1	1
12	12	12	12	12	12	12	12
11	11	11	11	11	11	11	11
10	10	10	10	10	10	10	10
9	9	9	9	9	9	9	9
8	8	8	8	8	8	8	8
pm 7	7	7	7	7	7	7	7

Week Four

This week: ____________________

My Main Priorities

- ○ ____________________
- ○ ____________________
- ○ ____________________

My To-Do List

- ☐ ____________________
- ☐ ____________________
- ☐ ____________________
- ☐ ____________________
- ☐ ____________________
- ☐ ____________________
- ☐ ____________________
- ☐ ____________________
- ☐ ____________________

Habit Tracker

	M	T	W	T	F	S	S

Exercise

Mon	
Tue	
Wed	
Thu	
Fri	
Sat	
Sun	

Mood

1 2 3

4 5 6 7

Key

- Strong
- Happy
- Calm
- Fear
- Sad
- Mad

Energy

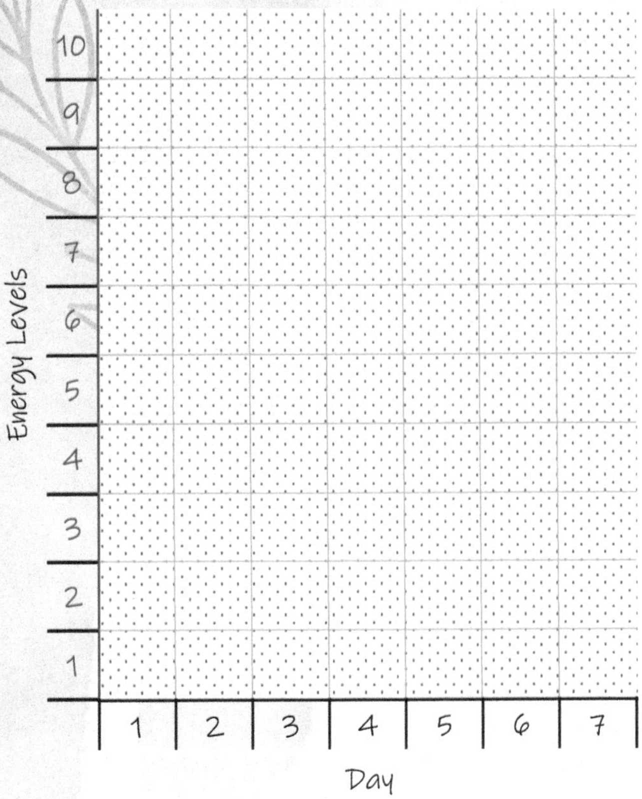

Sleep

	pm 7	8	9	10	11	12	1	2	3	4	5	6	am 7	8	9	10	11	12	1	2	3	4	5	pm 6
Mon																								
Tue																								
Wed																								
Thu																								
Fri																								
Sat																								
Sun																								

My Gratitude Log

Acts Of Kindness Log

My Month In Review

My month in 3 words:

- ○ ______
- ○ ______
- ○ ______

What went well?

- ☐ ______
- ☐ ______
- ☐ ______
- ☐ ______
- ☐ ______
- ☐ ______

Reasons to celebrate

- ☐ ______
- ☐ ______
- ☐ ______
- ☐ ______
- ☐ ______
- ☐ ______
- ☐ ______
- ☐ ______
- ☐ ______
- ☐ ______

Obstacles I overcame

- ○ ______
- ○ ______
- ○ ______
- ○ ______
- ○ ______
- ○ ______
- ○ ______

Things I learned

- ○ ______
- ○ ______
- ○ ______
- ○ ______
- ○ ______
- ○ ______
- ○ ______

Words To Live By

aim higher dream Bigger

A PERSON WHO HAS NEVER MADE A MISTAKE has never tried ANYTHING NEW.

The future DEPENDS on what you do TODAY

Stop Talking start doing

NOTHING WILL WORK UNLESS YOU DO

Just breathe and let it go

Find Yourself

The Month Ahead

This Month:
My focus this month is:

Important Tasks

- [ ]
- [ ]
- [ ]
- [ ]
- [ ]
- [ ]
- [ ]
- [ ]

Key Dates

Must Remember

Week One

This week: ______________________

My Main Priorities

- ○ ______________________
- ○ ______________________
- ○ ______________________

My To-Do List

- [ ] ______________________
- [ ] ______________________
- [ ] ______________________
- [ ] ______________________
- [ ] ______________________
- [ ] ______________________
- [ ] ______________________
- [ ] ______________________
- [ ] ______________________

Habit Tracker

	M	T	W	T	F	S	S

Exercise

Mon	
Tue	
Wed	
Thu	
Fri	
Sat	
Sun	

Mood

1 2 3

4 5 6 7

Key

Strong	Fear
Happy	Sad
Calm	Mad

Energy

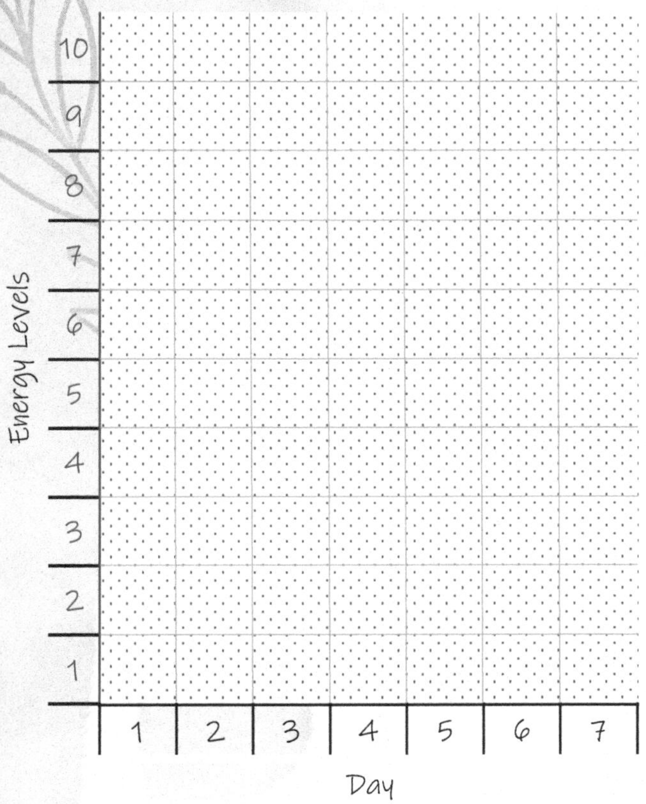

Sleep

	Mon	Tue	Wed	Thu	Fri	Sat	Sun
pm	7	7	7	7	7	7	7
	8	8	8	8	8	8	8
	9	9	9	9	9	9	9
	10	10	10	10	10	10	10
	11	11	11	11	11	11	11
	12	12	12	12	12	12	12
	1	1	1	1	1	1	1
	2	2	2	2	2	2	2
	3	3	3	3	3	3	3
	4	4	4	4	4	4	4
	5	5	5	5	5	5	5
	6	6	6	6	6	6	6
	7	7	7	7	7	7	7
am	8	8	8	8	8	8	8
	9	9	9	9	9	9	9
	10	10	10	10	10	10	10
	11	11	11	11	11	11	11
	12	12	12	12	12	12	12
	1	1	1	1	1	1	1
	2	2	2	2	2	2	2
	3	3	3	3	3	3	3
	4	4	4	4	4	4	4
	5	5	5	5	5	5	5
pm	6	6	6	6	6	6	6

Week Two

This week: ______________________

My Main Priorities

- ○ ______________________
- ○ ______________________
- ○ ______________________

My To-Do List

- ☐ ______________________
- ☐ ______________________
- ☐ ______________________
- ☐ ______________________
- ☐ ______________________
- ☐ ______________________
- ☐ ______________________
- ☐ ______________________
- ☐ ______________________

Habit Tracker

	M	T	W	T	F	S	S

Exercise

Mon	
Tue	
Wed	
Thu	
Fri	
Sat	
Sun	

Mood

1 2 3

4 5 6 7

Key

- Strong
- Happy
- Calm
- Fear
- Sad
- Mad

Energy

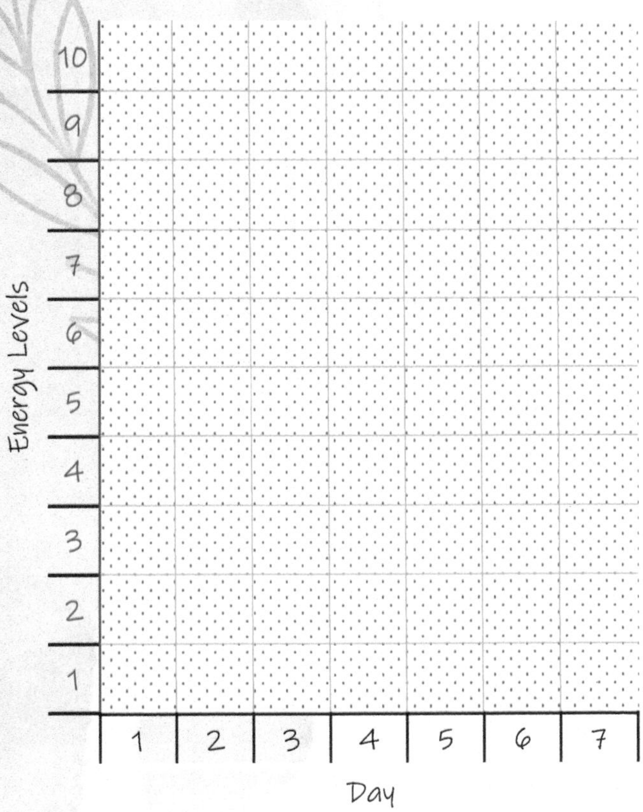

Sleep

	Mon	Tue	Wed	Thu	Fri	Sat	Sun
pm	6	6	6	6	6	6	6
	5	5	5	5	5	5	5
	4	4	4	4	4	4	4
	3	3	3	3	3	3	3
	2	2	2	2	2	2	2
	1	1	1	1	1	1	1
	12	12	12	12	12	12	12
	11	11	11	11	11	11	11
	10	10	10	10	10	10	10
	9	9	9	9	9	9	9
am	8	8	8	8	8	8	8
	7	7	7	7	7	7	7
	6	6	6	6	6	6	6
	5	5	5	5	5	5	5
	4	4	4	4	4	4	4
	3	3	3	3	3	3	3
	2	2	2	2	2	2	2
	1	1	1	1	1	1	1
	12	12	12	12	12	12	12
	11	11	11	11	11	11	11
	10	10	10	10	10	10	10
	9	9	9	9	9	9	9
pm	8	8	8	8	8	8	8
	7	7	7	7	7	7	7

Week Three

This week: ____________________

My Main Priorities

- ○ ____________________
- ○ ____________________
- ○ ____________________

My To-Do List

- ☐ ____________________
- ☐ ____________________
- ☐ ____________________
- ☐ ____________________
- ☐ ____________________
- ☐ ____________________
- ☐ ____________________
- ☐ ____________________
- ☐ ____________________

Habit Tracker

	M	T	W	T	F	S	S

Exercise

Mon	
Tue	
Wed	
Thu	
Fri	
Sat	
Sun	

Mood

1 2 3

4 5 6 7

Key

- Strong
- Happy
- Calm
- Fear
- Sad
- Mad

Energy

Energy Levels

10
9
8
7
6
5
4
3
2
1

1 2 3 4 5 6 7

Day

Sleep

	Mon	Tue	Wed	Thu	Fri	Sat	Sun
pm	6	6	6	6	6	6	6
	5	5	5	5	5	5	5
	4	4	4	4	4	4	4
	3	3	3	3	3	3	3
	2	2	2	2	2	2	2
	1	1	1	1	1	1	1
	12	12	12	12	12	12	12
	11	11	11	11	11	11	11
	10	10	10	10	10	10	10
	9	9	9	9	9	9	9
	8	8	8	8	8	8	8
am	7	7	7	7	7	7	7
	6	6	6	6	6	6	6
	5	5	5	5	5	5	5
	4	4	4	4	4	4	4
	3	3	3	3	3	3	3
	2	2	2	2	2	2	2
	1	1	1	1	1	1	1
	12	12	12	12	12	12	12
	11	11	11	11	11	11	11
	10	10	10	10	10	10	10
	9	9	9	9	9	9	9
	8	8	8	8	8	8	8
pm	7	7	7	7	7	7	7

Week Four

This week: ______________________

My Main Priorities

- ○ ______________________
- ○ ______________________
- ○ ______________________

My To-Do List

- [ ] ______________________
- [ ] ______________________
- [ ] ______________________
- [ ] ______________________
- [ ] ______________________
- [ ] ______________________
- [ ] ______________________
- [ ] ______________________
- [ ] ______________________

Habit Tracker

	M	T	W	T	F	S	S

Exercise

Mon	
Tue	
Wed	
Thu	
Fri	
Sat	
Sun	

Mood

1 2 3

4 5 6 7

Key

- Strong
- Happy
- Calm
- Fear
- Sad
- Mad

Energy

Energy Levels: 10, 9, 8, 7, 6, 5, 4, 3, 2, 1

Day: 1, 2, 3, 4, 5, 6, 7

Sleep

	Mon	Tue	Wed	Thu	Fri	Sat	Sun
pm	6	6	6	6	6	6	6
	5	5	5	5	5	5	5
	4	4	4	4	4	4	4
	3	3	3	3	3	3	3
	2	2	2	2	2	2	2
	1	1	1	1	1	1	1
	12	12	12	12	12	12	12
	11	11	11	11	11	11	11
	10	10	10	10	10	10	10
	9	9	9	9	9	9	9
am	8	8	8	8	8	8	8
	7	7	7	7	7	7	7
	6	6	6	6	6	6	6
	5	5	5	5	5	5	5
	4	4	4	4	4	4	4
	3	3	3	3	3	3	3
	2	2	2	2	2	2	2
	1	1	1	1	1	1	1
	12	12	12	12	12	12	12
	11	11	11	11	11	11	11
	10	10	10	10	10	10	10
	9	9	9	9	9	9	9
	8	8	8	8	8	8	8
pm	7	7	7	7	7	7	7

My Gratitude Log

Acts Of Kindness Log

My Month In Review

My month in 3 words:

- ○
- ○
- ○

What went well?

Reasons to celebrate

Obstacles I overcame

Things I learned

My Mental Health

I will make an effort to look after my mental health because:

Things I know upset me

- ○ ______________________
- ○ ______________________
- ○ ______________________

Do these on a bad day

- ○ ______________________
- ○ ______________________
- ○ ______________________
- ○ ______________________
- ○ ______________________
- ○ ______________________
- ○ ______________________

Do these to keep calm

- ○ ______________________
- ○ ______________________
- ○ ______________________
- ○ ______________________
- ○ ______________________

These make me happy

- ○ ______________________
- ○ ______________________
- ○ ______________________
- ○ ______________________
- ○ ______________________

People to reach out to

- ○ ______________________
- ○ ______________________
- ○ ______________________
- ○ ______________________
- ○ ______________________
- ○ ______________________
- ○ ______________________

The Month Ahead

This Month:
My focus this month is:

Important Tasks

- [ ]
- [ ]
- [ ]
- [ ]
- [ ]
- [ ]
- [ ]
- [ ]

Key Dates

-
-
-
-
-

Must Remember

Week One

This week: ______________________

My Main Priorities

- ○ ______________________
- ○ ______________________
- ○ ______________________

My To-Do List

- [ ] ______________________
- [ ] ______________________
- [ ] ______________________
- [ ] ______________________
- [ ] ______________________
- [ ] ______________________
- [ ] ______________________
- [ ] ______________________
- [ ] ______________________

Habit Tracker

	M	T	W	T	F	S	S

Exercise

Mon	
Tue	
Wed	
Thu	
Fri	
Sat	
Sun	

Mood

1 2 3

4 5 6 7

Key

- Strong
- Fear
- Happy
- Sad
- Calm
- Mad

Energy

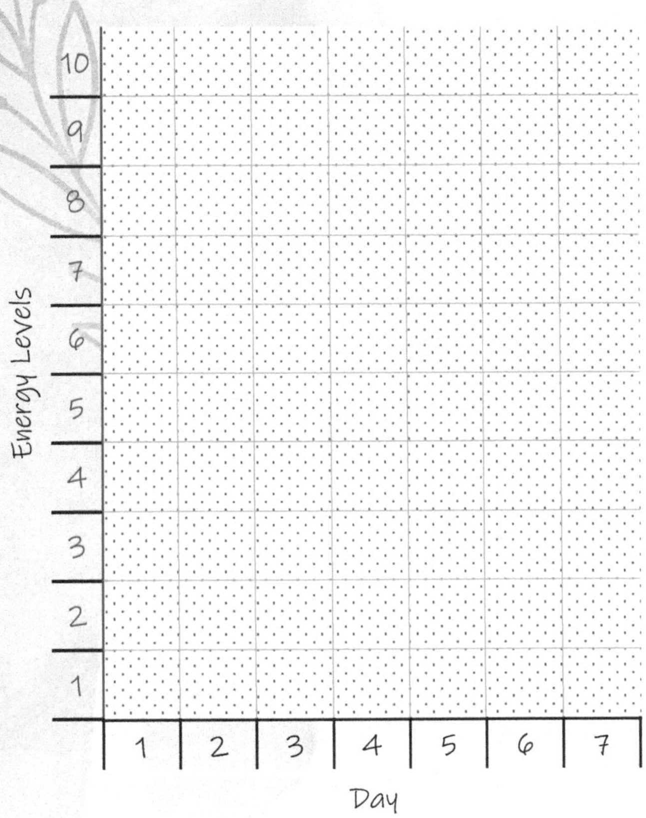

Sleep

pm	6	6	6	6	6	6	6
	5	5	5	5	5	5	5
	4	4	4	4	4	4	4
	3	3	3	3	3	3	3
	2	2	2	2	2	2	2
	1	1	1	1	1	1	1
	12	12	12	12	12	12	12
	11	11	11	11	11	11	11
	10	10	10	10	10	10	10
	9	9	9	9	9	9	9
	8	8	8	8	8	8	8
am	7	7	7	7	7	7	7
	6	6	6	6	6	6	6
	5	5	5	5	5	5	5
	4	4	4	4	4	4	4
	3	3	3	3	3	3	3
	2	2	2	2	2	2	2
	1	1	1	1	1	1	1
	12	12	12	12	12	12	12
	11	11	11	11	11	11	11
	10	10	10	10	10	10	10
	9	9	9	9	9	9	9
	8	8	8	8	8	8	8
pm	7	7	7	7	7	7	7
	Mon	Tue	Wed	Thu	Fri	Sat	Sun

Week Two

This week: ____________________

My Main Priorities

- ○ ____________________
- ○ ____________________
- ○ ____________________

My To-Do List

- ☐ ____________________
- ☐ ____________________
- ☐ ____________________
- ☐ ____________________
- ☐ ____________________
- ☐ ____________________
- ☐ ____________________
- ☐ ____________________
- ☐ ____________________

Habit Tracker

	M	T	W	T	F	S	S

Exercise

Mon	
Tue	
Wed	
Thu	
Fri	
Sat	
Sun	

Mood

1 2 3

4 5 6 7

Key

- Strong
- Happy
- Calm
- Fear
- Sad
- Mad

Energy

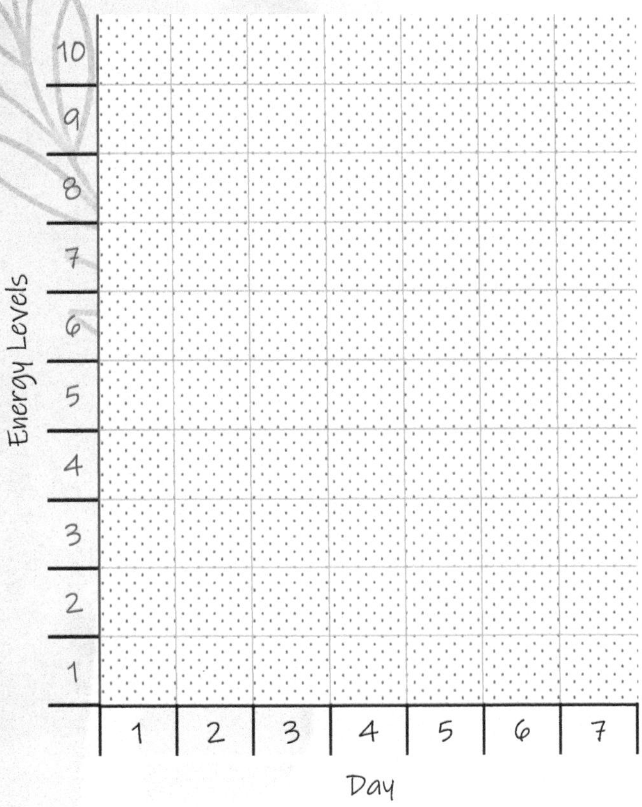

Sleep

	Mon	Tue	Wed	Thu	Fri	Sat	Sun
	6	6	6	6	6	6	6
pm	5	5	5	5	5	5	5
	4	4	4	4	4	4	4
	3	3	3	3	3	3	3
	2	2	2	2	2	2	2
	1	1	1	1	1	1	1
	12	12	12	12	12	12	12
	11	11	11	11	11	11	11
	10	10	10	10	10	10	10
	9	9	9	9	9	9	9
	8	8	8	8	8	8	8
am	7	7	7	7	7	7	7
	6	6	6	6	6	6	6
	5	5	5	5	5	5	5
	4	4	4	4	4	4	4
	3	3	3	3	3	3	3
	2	2	2	2	2	2	2
	1	1	1	1	1	1	1
	12	12	12	12	12	12	12
	11	11	11	11	11	11	11
	10	10	10	10	10	10	10
	9	9	9	9	9	9	9
	8	8	8	8	8	8	8
pm	7	7	7	7	7	7	7

Week Three

This week: ____________________

My Main Priorities

- ○ ____________________
- ○ ____________________
- ○ ____________________

My To-Do List

- ☐ ____________________
- ☐ ____________________
- ☐ ____________________
- ☐ ____________________
- ☐ ____________________
- ☐ ____________________
- ☐ ____________________
- ☐ ____________________
- ☐ ____________________

Habit Tracker

	M	T	W	T	F	S	S

Exercise

Mon	
Tue	
Wed	
Thu	
Fri	
Sat	
Sun	

Mood

1 2 3

4 5 6 7

Key

Strong	Fear
Happy	Sad
Calm	Mad

Energy

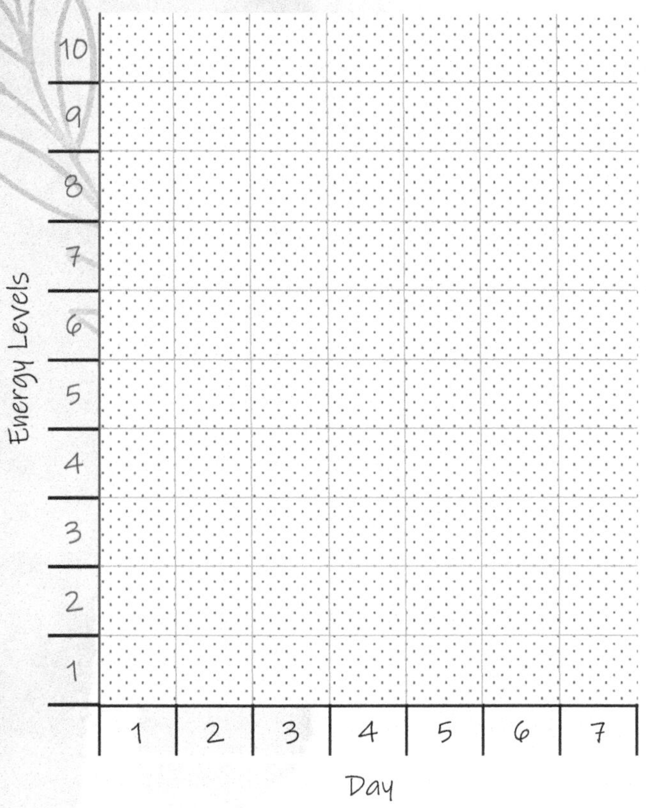

Sleep

	6	6	6	6	6	6	6
pm	5	5	5	5	5	5	5
	4	4	4	4	4	4	4
	3	3	3	3	3	3	3
	2	2	2	2	2	2	2
	1	1	1	1	1	1	1
	12	12	12	12	12	12	12
	11	11	11	11	11	11	11
	10	10	10	10	10	10	10
	9	9	9	9	9	9	9
am	8	8	8	8	8	8	8
	7	7	7	7	7	7	7
	6	6	6	6	6	6	6
	5	5	5	5	5	5	5
	4	4	4	4	4	4	4
	3	3	3	3	3	3	3
	2	2	2	2	2	2	2
	1	1	1	1	1	1	1
	12	12	12	12	12	12	12
	11	11	11	11	11	11	11
	10	10	10	10	10	10	10
	9	9	9	9	9	9	9
	8	8	8	8	8	8	8
pm	7	7	7	7	7	7	7
	Mon	Tue	Wed	Thu	Fri	Sat	Sun

Week Four

This week: ______________

My Main Priorities

- ○ ______________
- ○ ______________
- ○ ______________

My To-Do List

- ☐ ______________
- ☐ ______________
- ☐ ______________
- ☐ ______________
- ☐ ______________
- ☐ ______________
- ☐ ______________
- ☐ ______________
- ☐ ______________

Habit Tracker

	M	T	W	T	F	S	S

Exercise

Mon	
Tue	
Wed	
Thu	
Fri	
Sat	
Sun	

Mood

1 2 3

4 5 6 7

Key

Strong	Fear
Happy	Sad
Calm	Mad

Energy

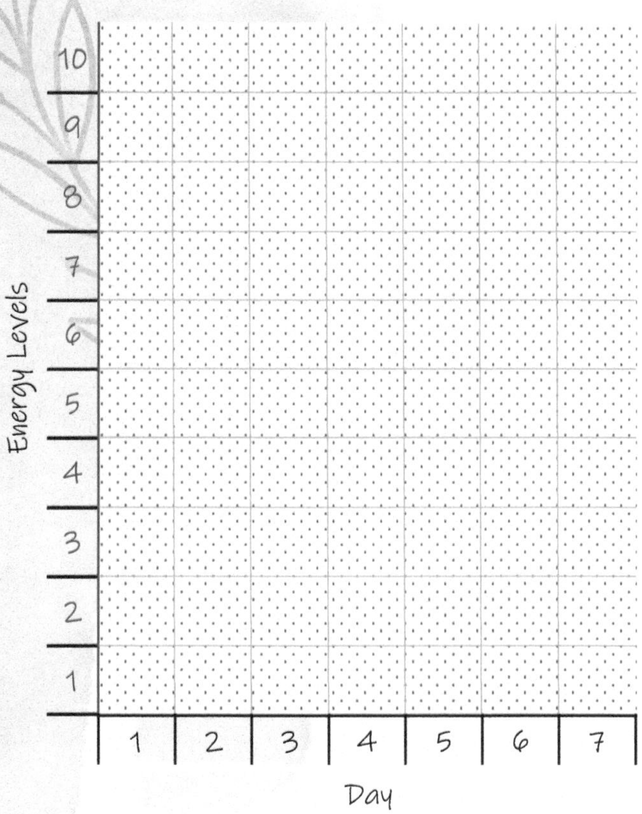

Sleep

	7 pm	8	9	10	11	12	1	2	3	4	5	6	7	8 am	9	10	11	12	1	2	3	4	5 pm	6
Mon																								
Tue																								
Wed																								
Thu																								
Fri																								
Sat																								
Sun																								

My Gratitude Log

Acts Of Kindness Log

My Month In Review

My month in 3 words:

- ○ ___
- ○ ___
- ○ ___

What went well?

- ☐ ___
- ☐ ___
- ☐ ___
- ☐ ___
- ☐ ___
- ☐ ___

Reasons to celebrate

- ☐ ___
- ☐ ___
- ☐ ___
- ☐ ___
- ☐ ___
- ☐ ___
- ☐ ___
- ☐ ___
- ☐ ___
- ☐ ___

Obstacles I overcame

- ○ ___
- ○ ___
- ○ ___
- ○ ___
- ○ ___
- ○ ___
- ○ ___

Things I learned

- ○ ___
- ○ ___
- ○ ___
- ○ ___
- ○ ___
- ○ ___
- ○ ___

Books, Podcasts & Ted Talks

My goal is to learn about:

Books To Read

- [ ] ______
- [ ] ______
- [ ] ______
- [ ] ______
- [ ] ______
- [ ] ______
- [ ] ______
- [ ] ______
- [ ] ______
- [ ] ______

Podcasts To Listen To

- [ ] ______
- [ ] ______
- [ ] ______
- [ ] ______
- [ ] ______
- [ ] ______
- [ ] ______
- [ ] ______
- [ ] ______
- [ ] ______

Ted Talks To Watch

- [ ] ______
- [ ] ______
- [ ] ______
- [ ] ______
- [ ] ______
- [ ] ______
- [ ] ______
- [ ] ______
- [ ] ______
- [ ] ______

My Self-Care Playlist

My top 5 favorite songs:

- ○ ______________________________
- ○ ______________________________
- ○ ______________________________
- ○ ______________________________
- ○ ______________________________

Other music that helps me feel my emotions:

▷ ______________________________

▷ ______________________________

▷ ______________________________

▷ ______________________________

▷ ______________________________

▷ ______________________________

▷ ______________________________

▷ ______________________________

▷ ______________________________

▷ ______________________________

▷ ______________________________

▷ ______________________________

Bad Habits to Break

I want to break these bad habits because:

The habit: ____

What makes it bad: ____

What would happen if I kept doing it?: ____

How will I attempt to break it? ____

The habit: ____

What makes it bad: ____

What would happen if I kept doing it?: ____

How will I attempt to break it? ____

The habit: ____

What makes it bad: ____

What would happen if I kept doing it?: ____

How will I attempt to break it? ____

Positive Self Talk

I want to say these things to myself because:

- ○
- ○
- ○
- ○
- ○
- ○
- ○
- ○
- ○
- ○
- ○
- ○
- ○
- ○

Words To Live By

EVERY DAY IS
A NEW BEGINNING
take a deep breath
smile
and START again

THE TIME
IS ALWAYS
RIGHT TO DO
THE RIGHT
THING

What
you
seek
IS
seeking
you

Because this is
MY LIFE
and that's
the only
EXPLANATION
you need

I AM WORKING
ON MYSELF
FOR MYSELF
BY MYSELF

FORGET
THE
Mistake
REMEMBER
the lesson

Be
THE REASON
someone
SMILES
TODAY

FALLING DOWN IS AN
ACCIDENT
STAYING DOWN IS A
CHOICE

Pray
more
worry
less

YOUR
Life
is
ONLY AS GOOD
AS YOUR
Mindset

inhale
the future
exhale
the past

DREAMS
DON'T WORK
UNLESS
you
do

EITHER YOU
RUN THE DAY,
OR THE DAY
RUNS YOU.

My Year In Review

My year in 3 words:

- ○ __________
- ○ __________
- ○ __________

What went well?

- [ ]
- [ ]
- [ ]
- [ ]
- [ ]
- [ ]

Reasons to celebrate

- [ ]
- [ ]
- [ ]
- [ ]
- [ ]
- [ ]
- [ ]
- [ ]
- [ ]
- [ ]

Obstacles I overcame

- ○
- ○
- ○
- ○
- ○
- ○
- ○

Things I learned

- ○
- ○
- ○
- ○
- ○
- ○
- ○

My Mission Statement

I will do all I can to live by this statement because:

My Big Goals

When I achieve these goals, I will feel:

Life Goals

- ○
- ○
- ○
- ○
- ○
- ○
- ○

Health Goals

- ○
- ○
- ○
- ○
- ○

Work Goals

- ○
- ○
- ○
- ○
- ○

Finance Goals

- ○
- ○
- ○
- ○
- ○
- ○
- ○

Other Goals

- ○
- ○

My Morning Routine

Creating the perfect morning routine will:

My Evening Routine

Creating the perfect morning routine will:

My Morning Routine

Creating the perfect morning routine will:

My Evening Routine

Creating the perfect morning routine will: